JN035613

アフリカにおける
健康と社会

人間らしい医療を求めて

井田暁子・梅屋潔 編

アジア研究報告シリーズ
No.10

風響社

読者の皆さまへ

本書を手に取っていただいた方々に、まずは感謝いたします。

この序文を書いている二〇二〇年一二月現在、世界は感染症の真っただ中にいます。雑誌を見ても新聞をとっても、話題は新型コロナ感染症の拡大のことばかり。まるで長い長いトンネルのなかにいるようです。

二〇一七年にこの本のもとになった市民セミナーを行った際には、想像もできなかったことですが、世界的規模の感染症に関心を持たなければならなくなったこの時代、本書の持つ意味は、私たち執筆者の意図をはるかに超えて、より大きなものになりうるだろう、と考えています。なにより、本書で私たちが扱おうとするのは、感染症先進国であるアフリカ諸国なのだからです。

そこでは、さまざまな種類の感染症に、長らく苦しめられ、またその感染症とつきあってきました。アフリカ研究をする私も、長いフィールドワークを彼の地で過ごす間にマラリア罹患は一〇回を超え、またあるときは結核に罹患し、結核予防法に従って二か月半の入院生活を送ったことがあります。

京都精華大学学長として大活躍したウスビ・サコさんが、インタビューに答えて次のようなことを言っています。

——新型コロナウイルス感染拡大をどのように受け止めていますか。

感染が広がり始めたころ、私は医療崩壊が起きているアメリカやヨーロッパ、そしてアフリカをまわっていました。アフリカの空港では体温チェックがあり、ジェルで手を消毒させられ、アンケートでは渡航歴をたずねられました。当時の欧米は「自分たちの国の医療環境は充実しており新型コロナはアジアの問題で関係ない」と思っているようでしたが、それから二カ月も経たないうちに世界中に広まります。

すぐにいろいろなことが見えてきました。たとえば、世界で使っているほとんどのマスクが中国製ですが、どの国でも手に入りにくくなりました。中国でマスクを作る工場が日本や欧米の資本下にあっても、中国政府はマスク輸出に制限をかけることができる（もちろん、国際法的な権限は無いのですが）。こういう事態になると、中国からの輸出の途中でドイツ向けに送られるマスクがフランスにとられたなど、各国で確執が見られ、ヨーロッパ諸国はこんなに弱かったのかと思ったものです。

私たちがしっかりできあがっていると思っていたグローバル経済の基盤は、実はそうでもないということがわかりました。各国の本音、国と国の関係性、コストを重視したグローバル経済のもろさが表面化したことを興味深く見ています。

フランスの医師が「ワクチン治験はアフリカで」と発言して差別意識が見えた一方で、アフリカ人はヨーロッパ諸国の社会基盤のもろさに気づいています。また中国が多くの国に力を貸すなど表に出なかった依存関係も見え、今後は経済のあり方や国同士の関係も変化するでしょう。［二〇二〇年五月一四日、「アフリカ出身・京都精華大サコ学長　コロナ問題でわかった「日本人のホンネ」」『AERA dot.（アエラドット）』聞き手は小坂綾子、のちに『アフリカ出身サコ学長、日本を語る』朝日新聞出版、一八二―一八四に収録］

サコさんの指摘にはうなづかされることばかりです。

個人的には、トランスナショナル、とか、モビリティ、とか越境とかの理想を称揚していたヨーロッパ諸国が、軒並みロックダウンして近代国家が要塞化し、近年柔軟に運用されていたかに見えたシティズンシップが極めて厳格なかたちで立ち現れたのが印象的でした。

また、さらに個人的なエピソードを加えるとすれば、私が三月まで暮らしていた南アフリカのケープタウンでは、幸いなことに、かつてのアパルトヘイトの歴史を想起させるような、インサイダーとアウトサイダーの暴力的な線引きは行われなかったらしい、との印象を今のところは持っています。しかしまだ、これは、はじまりにすぎないのかもしれません。なにせ、まだ、トンネルの出口は見えていないのですから。

本書に収録された論考は、新型コロナ感染症が登場する以前に書かれたものですが、随所に、サコさんの指摘を追認するような記述がいくつも見いだせるのではないかと思われます。何しろ、アフリカ大陸は、エボラ出血熱、マラリア、ビルハルツ住血吸虫、マールブルク出血熱（日本ではエボラしか知られていませんが、出血熱にもいくつか種類があるのです）など、数多くの感染症と戦い、克服し、そしてそれと付き合うすべを鍛えてきました。本書で描かれたかれらの問題は、同じ地球に暮らす私たちの問題でもあります。いままで他人事のように見えていたのは、単に感染症が、こちらにこないたちのものだったからにすぎません。

もちろん、そうした読み方は、今だからこそ、可能になるものかもしれません。

本書は、もともとは、次のような方々を想定して書かれていました。

思いつくままに、処方箋のように、想定する読者とその効能を示してみましょう。

（1）まず、第一にアフリカに地域研究的な関心をお持ちの方々。こうした方々には、ほかの書物や論文、あるいは記事、場合によってはご自分の経験などから、本書の内容にかかわるご叱正や、新しい情報をいただけるのではないかと期待しています。それほど深い関心をおもちではなかった読者のかたには、本書を通じて、当たり前ですが、アフリカにも医療はあること、そしてそれが、私たちが知らずにイメージするものとはちょっと違う面もあるかもしれないこと、などを知っていただけるかな、と思っています。

（2）第二に国際開発に関わる政策実務者や専門家の方々。二一世紀、国際開発は、グローバルな世界において非常に大きな存在感と意味を持っています。また大多数のアフリカ諸国では、その財政の七割以上を自国政府以外の財源に依存しており、アフリカは海外からの支援に依存している面があります。ほかの開発途上国と言われる地域もそうですが、開発がアフリカ諸国に与えるインパクトは、私たちの想像を超えて大きい。また大きいゆえに、現地社会を無視してはいけないという議論はもはや常識であろうと思います。相手は人間社会であるゆえに、この配慮はどれだけ大きくても大きすぎることはない。しかし、私のみるところ、しばしば社会科学的な効率主義は、こうした配慮を結果的に軽んじてしまう方向に働く傾向があります。

私たちのメッセージは、シンプルです。相手も同じ人間ですよ。というごく当たり前のことにすぎません。この当たり前のことを実際の政策に当てはめようとすると、しばしば考え方や価値観の衝突が起こります。そして私たちはある意味での絶望と同時に新たなアプローチに向けた可能性を感じるのです。

そういったわけで本書は、アフリカでの国際開発の実際についても報告するとともに、国際開発の可能性とその課題について考えるきっかけになればと思います。

（3）第三に、（1）と関係が深いのですが、地政学的な意味でのアフリカに関心がある方々が想定されています。本書の付録を執筆されている、神戸大学の桜井徹教授のように、移民の送り出し手としてのアフリカ、という関心をお持ちになる方がいるかもしれません。桜井氏は、独自にGlobal Welfareと名付けていますが、労働機会や、教育、そして充実した医療や福祉が欠落した地域からの移民が、それらの充実した地域へと流れる、というモデルを構想しています。

こうした関心で本書を手に取る方々の数は多くないかもしれませんが、より広い視野から、もっと増えてほしい読者層です。桜井さんは、この Global Welfare というモデルを文理融合の研究フィールドとして今よりもっと展開させようとしています。

もっとも、このモデルについては、フランシス・ニャムンジョさんのようなアフリカ出身（カメルーン、バメンダ出身）の研究者は、痛烈な批判を浴びせるかもしれません。

下部構造の質などだけで人は移動するものではない、もっと感情や好みなどとの関係で人のモビリティは考えられるべきなのだ、と。私もかかわっている一人として反省的に述べるのですが、極端な話、すべてがお金なのだ、というような説にならないよう、十分に議論を鍛えることが必要でしょう。

ニャムンジョさんは、その独自のシティズンシップの研究を進めながら、インサイダーとアウトサイダーがお互いに共益を享受する場、コンヴィヴィアリティ（conviviality）の実現を、人間の生きる意味や目標として掲げます。これは簡単には果たされないだけではなく、ある意味では決して実現することがない理想の世界かもしれません。人類もそうですが、自然界も、超自然界も、すべて、世界は不完全にできているからです。ただ、その理想の近似値に不断の営為を通じて少しでも近づこうとすること。それが人間性（humanity）であり、社会性（sociality）であり、ひいては生きる目的なのだ、とニャムンジョさんは説きます。

どこかで私たちは右肩上がりの経済成長や、勝ち組／負け組の二分法や、需要と供給のモデルで、そうしたモデルが扱わないはずの人間の生まで、扱えると思い込んでしまったのではないでしょうか。こうした反省の契機としても、ニャムンジョさんのようなアフリカ由来の哲学は、貴重です。

しかし、本書の論者が示そうと試みているように、アフリカ由来の考え方を遅れた野蛮な未開なものと断じて一方的に抑圧することも、中身をよく見ないままに称揚することも、両方とも問題があるでしょう。重要なのは、まず知ること。そしてそのなかで、じゅうぶんな解釈を施して自分のものとしてうけとめることでしょう。

その意味では、本書の内容も、今のこの出口の見えない時代だからこそ、二〇一四年六月ごろから二〇一六年一月ごろにかけてエボラ出血熱がシオラレオネやギニア、リベリア、ナイジェリアなど西アフリカで流行したときのような他人事ではなく解釈し、受け止めることができるかもしれません（死亡率四〇パーセントといわれ、一万一三一三人が死亡したといわれていますが、日本での報道はきわめて限定的なものにとどまっていました）。

このように本書には、さまざまな症状にマッチする効能もあれば、副作用もあるだろうと思います。あらゆる医療、あらゆる薬にいえることですが、気をつけて用いていただきたいと思います。

そしてたまたま本書を手に取ってくださったあなた。そのあなたこそが、私たちが、もっとも欲しかった、理想的な読者です。

アフリカなどに関心がなかった、行ってみようなどと考えたことは夢にもない、アフリカに医療があるなどと考えてはこなかった、あるとしても、ごく貧しい、偏った医療があるだけで、ばたばた人が飢えと貧困で死んでいる暗黒大陸アフリカを想定していたあなた。あなたこそ、本書のもっともよき読者になってくれるはずです。

ある試算によれば、二〇四〇年、あるいは遅くとも二〇五〇年には、地球上の四分の一がアフリカ人になっているのだそうです。つまり、言葉の正しい意味において、これからグローバリズムといわれる時代を生きる、ということは、とりもなおさずアフリカの人々、その文化、社会とともに人生を歩むことです。

本書の執筆者の多くがそのような状況をみることができるほど健康で長生きができるかどうかははなはだ心もとないですが、そうした地球をアフリカとともに生きるであろう読者の皆さんにこそ、読んでいただきたいと思っています。

二〇二〇年一二月

※もろもろのことがあり、出版が遅れました。当初の文章をあまり変えずに収録しています。

梅屋　潔

刊行によせて
——アフリカの視点から「人間らしい医療」のあり方を探求する

落合雄彦

本書は、二〇一七年一二月一六日にＪＩＣＡ関西（兵庫県神戸市）で開催された公開シンポジウム「アフリカにおける健康と社会——人間らしい医療を求めて」（主催：神戸大学国際人間科学部・国際学研究推進センター、共催：国際協力機構（ＪＩＣＡ））の成果をまとめたものである。

「人間らしい医療」の探求は、けっして新しい課題ではない。たとえば、一九八〇年代前半、カナダのトロント大学のディミトリオス・オレオポウロス教授は、「人間らしい医療」（"Humane Medicine"）と題する一文のなかで、「第二次世界大戦以後のテクノロジー、疾患に関する理解、そしてその治療をめぐる顕著な進展にもかかわらず、今日の医師は、五〇年前の先人たちよりも人々の尊敬を享受できずにいる」とした上で、その一因として、医師が患者の「疾患」にばかり注目してその「人間」としての存在を軽視し、「思いやりのあるケア」（humane care）を提供しなくなったことを挙げている［Oreopoulos 1983: 1279］。また、一九九〇年代に入ると、従前の近代医学における科学至上主義に対する反省から、「根拠に基づく医療」（evidence-based medicine：EBM）が謳われるようになる。ＥＢＭとは、入手可能な範囲で最も信頼できる根拠を把握した上で、眼前の患者の臨床状況や価値観を適切に考慮しつつ最善の医療を行おうとする一連の行動指針を指す。そこでは、純粋科学としての医学の「正しさ」（唯一性）を患者に一方的あるいは権威的に押し付けるのではなく、最新最良の医学的知見を踏まえつつも、個々の患者の価値観を反映した医療の「適切さ」(多様性)が重視される。そして、二一世紀に入ると、EBMをより発展させるような形で、患者の選好・価値観をより重視した「価値に基づく医療」(value-based medicine:VBM)という概念も注目されるようになっている[尾藤二〇一四]。

しかし、こうした「人間らしい医療」の探求をめぐるこれまでの議論は、主にグローバル・ノース(先進国を中心とする相対的に豊かな諸国)を舞台に展開されてきた。これに対して本書は、グローバル・サウス、特にそのなかでも貧困がいまなお相対的に深刻なサハラ以南アフリカを舞台としつつ、「人間らしい医療」のあり方を学際的かつ多専門的に追究しようとする意欲的な試みにほかならない。

本書には、五本の秀逸な論考が収められている。

杉下智彦「アフリカの叡智から学ぶ社会デザイン——マラウイのHIV/エイズ流行における社会変容から学ぶこと」は、一九九〇年代のマラウイにおけるHIV/エイズのパンデミックと同時期に生じた社会変容を民族誌的に描き出す。エイズは後天性免疫不全症候群(acquired immunodeficiency syndrome:AIDS)のことであり、レトロウイルス科のヒト免疫不全ウイルス(human immunodeficiency virus:HIV)によって引き起こされる疾患を指す。HIV/エイズを完全に治療する方法は、いまなお確立されていない。しかし、今日では抗レトロウイルス療法(anti-retroviral treatment:ART)がアフリカ諸国を含めて広く普及しており、この結果、新規HIV感染者数やエイズ関連死亡者数は一九九〇年代のピーク時に比べて激減している。HIV/エイズはかつてのような「死に至る病」ではもはやなく、たとえHIVに感染したとしても、ARTを受けることによってエイズの発症を相当程度遅らせたり、あるいは、それをほぼ完全に抑えられたりする時代を迎えている。

しかし、そうしたARTがまだ確立・普及していなかった一九九〇年代、南部アフリカのマラウイでは、HIV／エイズはまさにパンデミックともいうべき状態にあった。そして、そうしたなかマラウイ南部の都市ゾンバにある病院で外科医長として勤務していたのが杉下であり、彼は、診療活動のかたわら、病院および周辺地域でHIV／エイズに関する広範なフィールドワークを実施する。杉下によれば、マラウイに広く居住するチェワ人の社会では、HIV／エイズは人間の不道徳に対する先祖からの罰や呪いではなく、誰もそれを操作できないような、神による道徳的行為（福音）とみなされていたという。そのため、HIV／エイズの患者は、治療を積極的に行ったり、先祖の呪いを解こうとしたりするのではなく、むしろ病気を受容して宗教的な儀礼に身を投じようとする。具体的には、HIV／エイズのパンデミックに揺さぶられた一九九〇年代のゾンバ周辺のチェワ社会では、アフリカ独立教会（African Independent Churches：AIC）の潮流に属するザイオン教会やペンテコステ教会による宗教運動の興隆がみられた。そこには、欧米の医学雑誌やジャーナリズムが作り出したがっていた、HIV／エイズの猛威の前に無力で脆弱なアフリカの人々、というイメージはみられなかったという。むしろ、猛威を振るうHIV／エイズの前に当時無力であったのは、有効な治療方法をいまだ見出せずにいた近代医学の方であった。チェワの人々は、HIV／エイズのパンデミックを経験しながらもそれに対して無力だったのではなく、そうした過酷な状況を受け入れ、それを宗教的儀礼の再興を通して能動的に生きようとしていた。杉下はそこに、チェワの人々の生の「たくましさ」を見出すとともに、民衆を社会変革の主体とする社会デザインを考える上でのひとつの重要なヒントがある、と指摘する。

西真如「人々の分け前と統治のテクノロジー」は、南部アフリカ諸国（特に南アフリカ）の現金給付プログラムとアフリカ諸国（特にエチオピア）の抗HIV治療の普及という二つの事例を通して、アフリカにおける配分の政治と統治のテクノロジーが人々の生活や社会関係に与えてきた影響を分析している。ここでいうところの統治のテクノロジーとは、「国家が人々に働きかけ、管理するために用いる様々な技術や知識の集合のこと」を指す。たとえば、指紋のような人間の身体的特徴を用いて個人を特定する方法や技術のことを一般に生体認証というが、それが国家によって取り込まれると統治のテクノロジーになる。そして、やや意外に聞こえるかもしれないが、生体認証によって人々を統治する「生体認証国家」の起源は、グローバル・ノースではなくグローバル・サウスにこそあるという。特に、植民地期からアパルトヘイト期に南アフリカで開発された指紋による身元確認制度こそが、生体認証による国家統治の淵源とされる。一般に官僚制度が高度に発展した欧米や東アジアの諸国では、国家は国民の就労状況や家族関係などを可能な限り把握し、それを文書で管理する「文書国家」を築き上げてきた。これに対して、人々の生活を把握する能力もなければ、あえてそれを把握しようともしないアフリカの植民地国家では、文書ではなく生体認証によって人々を管理する「生体認証国家」が発展した〔ブリッケンリッジ 二〇一七〕。そして、そうした統治のテクノロジーによって支えられ、あるいはそれと密接に関わりながら展開されてきたのが南部アフリカ諸国の現金給付プログラムであり、そこでは、就労や家族関係に紐づけされない形での現金給付プログラムという配分の政治が行われてきたという。

他方、西は、アフリカにおけるもうひとつの配分の政治と統治のテクノロジーの事例として、二一世紀に入って多くのアフリカ諸国において実施されるようになった、無償あるいは低価格での抗HIV治療薬の提供を取り上げる。その際に特に注目するのが、「90—90—90（トリプル・ナインティ）」と呼ばれる介入目標である。これは、二〇二〇年までに、HIV感染した人々のうち九〇％がHIV検査を受けて感染の事実を自覚し、そのうち九〇％がHIV治療を受け、さらにその九〇％でウイルス量が抑制されている状況を達成するというものである。この90

─90─90という目標の本質は、HIV感染をできるだけ早期に収束させるための指針を明示することにある。しかし、検査や治療において一〇〇％（完璧）を目指そうとしない90─90─90という政策目標は、一見現実的であり、健康統治のテクノロジーを体現した有用な指針であるかのようにみえるが、逆をいえばそれは、検査を受けなかったり治療が失敗したりする「例外」をある程度の範囲で許容してしまうことを意味する。このため、たとえばエチオピアでは、90─90─90という政策目標の達成を目指す過程のなかで、国家が、HIV治療を受けられなかったり、HIV治療を受けても生活に困窮したりする人々を「例外」とみなし、そうした人々への規範的な責任を回避する状況がみられるようになっている、と西は警鐘を鳴らす。

佐藤美穂／デオグラティアス・マウフィ「タンザニア農村部の一次医療施設に働くヘルスワーカーの動機づけ」は、タンザニアの保健システムの最前線（末端）で働く保健医療従事者に焦点をあて、その動機づけに関する量的・質的調査の結果をまとめたものである。佐藤らは、タンザニアのムベヤ州とリンディ州にある公的一次医療施設（診療所、保健センター）に勤務する保健医療従事者を対象に質問票を用いた量的調査と質的インタビュー調査を実施した。その結果、保健医療従事者が、給料が少ないために家計の支出を賄えず、商店などで「つけ」で商品を購入したり、患者やその家族から「わいろ」を受け取ったりしている実態が明らかになった。また、診療時間外に医療サービスを提供した場合の超過勤務手当が支払われず、無報酬の時間外労働を事実上強制されているケースが散見されること、タスク・シフティング（高度な資格を有する医療従事者の特定の任務を、研修期間がより短い他の医療従事者に委譲すること）によって重い負担と責任を背負わされながら、そうしたプロセスで身に着けたスキルや経験が給料や昇進に必ずしも適切に反映されていないこと、サポーティブ・スーパービジョン（県保健局が保健医療施設に対して定期的に実施する訪問指導）が実施されなかったり、たとえ実施されてもフィードバックがまったくなされなかったりすることが多いこと、タンザニアでは各医療従事者は自分の職務と職責を明記した職務記述書を発行されなければならないが、四〇％弱の回答者がそれを発行されていないこと、人事評価システムは一応導入されているものの、それが昇進などに適切に活用されていないこと、農村部の一次医療施設では医薬品や医療器材だけではなく、電気や水といったライフラインさえもがしばしば欠如していること、適切な職員住宅が提供されていないことなどの多くの問題点が浮き彫りになった。そして佐藤らは、そうした諸問題を個別に整理・分析した上で、医療機器や電気・水道の整備には相当程度の時間と予算が必要となるものの、超過勤務手当の不払いや職務記述書の不交付といった、一次医療施設に勤務する医療従事者の労働意欲に悪影響を及ぼす諸要因については「すぐに実行できる改善点」であると指摘している。

井田暁子「病院の門――子どもが語るセネガルの公的医療、貧困、排除」は、病院サービスへのアクセスがしばしば制限されているセネガル都市部の状況を子どもの視点から捉え直そうとする試みである。井田は、二〇〇九年から二〇一〇年にかけて、セネガルの首都ダカールの子どもたちを対象にして病院体験を尋ねる様々な調査と観察を実施した。そして、作文、絵画、インタビューなどの形で収集された子どもたちの「証言」をもとに、ダカールにおいて病者が病院利用を拒否される背景を、①診察料と貧困、②医療者と病者の社会的距離、③病院内の権力関係、という三つの視点から分析する。具体的には、ダカールの国立病院では、患者は門で診察料を支払わなければ病院内に入ることが許されないが、それが支払えないために病院の門前で物乞いをする病者を目撃した子どもや、自分自身が診察料を支払うために病院の門前で物乞いをしなければならなかった子どもの証言などが紹介される。また、ダカールの国立病院では、病院関係者の友人や知人はしばしば優遇され、優先的に治療を受けられるが、病院関係者を知らない人々は病院サービスの利用にあたって差別を受けることがしばしばあり、そうした都市部の病院特有の差別的な取り扱いの実態が子どもたちの証言を通して浮き彫りにされる。さらに、子どもたちの証言からは、病者が病院の門から入ることを拒否する守衛は、実は医師などの医療従事者に対して弱い立場に置かれており、そうした病院内の権力関係という「現場の規範」が病院サービスへのアクセスを制限する一因となっていることも読み取ることができる。

梅屋潔「ウガンダ東部パドラにおける病いのカテゴリーとその処方」は、ウガンダ東部パドラに居住するアドラと呼ばれる人々に注目し、アドラ社会でみられる病気の種類・症状・原因・対処法を詳細に提示する。アドラの社会では、病気は「トウォ」(tuwo) と呼ばれ、それが偶然に生じることはなく、その背後には「リフオリ」(lifuoli) という不幸が必ずあるとされる。また、病気を治療する者を「ミレルワ」(mileruwa) と呼ぶが、それには、近代的な医療従事者を意味する「ムズング」(muzungu：「白人の」の意) と形容される人々と、「ニャパドラ」(nyapadhola：「パドラの」の意) と形容される伝統的施術師の両方が含まれるという。そして梅屋は、アドラ社会にある八八種類の病気と対処方法を詳細に整理・提示した上で、口腔内を清潔に保つであるとか、患部を洗浄するとかといったサニテーションに関する観念がアドラ社会の病気観にはかなり広くみられること、しかし、そうした衛生観念が植民地化以前からアドラの人々の常識であったのか、植民地化後に外部世界からもたらされたものであるのかは軽々に判断できないこと、そして、不治の病がこの世にある以上、病因の説明として霊的な存在が援用される余地は常にあり、また、「ムズング」と修飾される近代的な「ミレルワ」(治療者) だけではなく、「ニャパドラ」と形容される伝統的施術師の出番が求められる場面もけっしてなくならないことなどを指摘する。その上で梅屋は、アフリカの人々の病気観が、キリスト教や西洋医学との邂逅によっても、理論としては大きな影響を受けなかった、とする長島信弘の主張を紹介しつつ［長島 一九八七］、「伝統」と「近代」は、必ずしも対立したり相克したりするものではなく、いわば絡み合うように日常の生のなかに織り込まれていくものかもしれないと説く。また、「近代化」はアフリカの人々の生活を激変させてきたが、その一方で彼らは、そうした環境の急激な変化に対して実に柔軟に適応してきたともいえるのであり、アドラ社会の病気観はまさにそのひとつの証左であるかもしれないとみる。そして、そこに見出せるアドラの人々の環境適応能力を深く理解し活用することこそが、「人間らしい医療」のあり方を考える上でのひとつの重要な示唆になりうる、と梅屋は論じる。

本書には、こうした五本の論考のほかに、ロジャー・バガンブラ「アフリカの医療（medicine）について」（土取俊輝訳）、土取俊輝「「アフリカにおける健康と社会」に関する考察——「宗教」および「人権」との関わりを中心に」、宮本佳和「現代アフリカにおける医療と統治をめぐって——南部アフリカ牧畜民研究の視点からのコメント」という三つの文章が収録されている。

参考文献

尾藤誠司
　二〇一四「医療の多様性と〝価値に基づく医療〟」『日本内科学会雑誌』一〇三（一一）：二八二九―二八三四。

長島信弘
　一九八七『死と病の民族誌——ケニア・テソ族の災因論』岩波書店。

ブリッケンリッジ、キース
　二〇一七『生体認証国家——グローバルな監視政治と南アフリカの近現代』（堀内隆行訳）、岩波書店。

Oreopoulos, D.G.
　1983 "Humane Medicine," *Canadian Medical Association Journal* 128(11): 1279-1280.

目次

●コメント

セネガル
エチオピア
ウガンダ
タンザニア
マラウイ
南アフリカ

●ウガンダ
人口、4,427万人。出生時の平均余命、63歳。妊産婦死亡率、375人（出生10万件あたり）。一人当たりの国内総所得（GNI）、780ドル。ヴィクトリア湖に面した内陸国。マウンテンゴリラや希少な野生動物で知られる。

●エチオピア
人口、1億1,208万人。出生時の平均余命、66歳。妊産婦死亡率、401人（出生10万件あたり）。一人当たりの国内総所得（GNI）、850ドル。300万年以上前の遺跡がある。エチオピア正教会の起源。

●セネガル
人口、1,630万人。出生時の平均余命、68歳。妊産婦死亡率、315人（出生10万件あたり）。一人当たりの国内総所得（GNI）、1,460ドル。アフリカ大陸の西端。1958年までフランス領西アフリカの首都が置かれ、アフリカにおけるフランス海外領土の中心的役割を果たした。漁業、農業国。

●タンザニア
人口、5,800万人。出生時の平均余命、65歳。妊産婦死亡率、524人（出生10万件あたり）。一人当たりの国内総所得（GNI）、1,080ドル。太平洋に面し、アラブ文化の影響を強く受ける。キリマンジャロ山と野生動物で知られる。

●マラウイ
人口、1,863万人。出生時の平均余命、64歳。妊産婦死亡率、349人（出生10万件あたり）。一人当たりの国内総所得（GNI）、380ドル。国土の3分の1をマラウイ湖が占める。タバコ、メイズ、茶を生産。

●南アフリカ
人口、5,856万人。出生時の平均余命、64歳。妊産婦死亡率、119人（出生10万件あたり）。一人当たりの国内総所得（GNI）、6,040ドル。1994年に1948年以来続いた人種隔離政策と決別。多様な人種が形成する「レインボー国家」。アフリカ最大の経済大国。

文と監修：井田暁子、地図作成：三浦敦
出典データ：World Bank (2020)　https://data.worldbank.org

●アフリカにおける健康と社会——人間らしい医療を求めて

アフリカの叡智から学ぶ社会デザイン
――マラウィのＨＩＶ／エイズ流行における社会変容から学ぶこと

杉下智彦

一　はじめに

私たちは、感染症パンデミックをはじめ、高齢化社会、戦争、移民・難民、差別・偏見など、現代社会が直面する様々な課題を乗り越えることが求められている。このような外的な脅威に対して、社会や文化の寛容性（レジリエンス）はどのような条件で発揮され、どのように脅威を包摂し、新しい価値観の創造していくのであろうか？　本章は、一九九〇年代のマラウィ共和国におけるＨＩＶ／エイズのパンデミックと同時期におこった社会変容について、宗教的儀礼の変遷として民族誌的に描写することで、新しい価値観に基づく社会デザインの在り方を提案することを目的としている。さらには、このような内発的な社会変革について、「アフリカの叡智から学ぶ」という私たちの姿勢そのものの意識変革に迫りたいと考えている。

本章は、筆者が一九九五年一二月から一九九八年三月までの二年四か月間にマラウィ共和国の国立ゾンバ中央病院において、ＨＩＶ／エイズの診療にあたりながら観察してきたチェワ族の社会変容についてのエスノグラフィーである。一九八〇年代後半からアフリカを中心に拡大したＨＩＶ／エイズの世界的流行（パンデミック）は、環境問題や経済格差と同様に、国際社会が一体となって喫緊に取り組むべき「地球規模課題（グローバル・イッシュー）」として二〇〇〇年の国連ミレニアムサミットで明示された。一方で、その震源地である東南部アフリカ社会は、HIV／エイズ流行と対峙する過程において、疾病理解における伝統的な世界観（コスモロジー）と近代的な医学的知識（バイオメディシン）が真っ向からぶつかり合う事態となった。ウイルスによるパンデミックという目に見えない「死」の蔓延を、アフリカの現代社会がどのように迎い入れ、抵抗し、一方で諦観し、他方で新しい発想に変えて、新しい社会の存在意義を見出してきたのか？　本章のような社会変容に焦点を当てたエスノグラフィーは数少ない。

「エイズは、癌や梅毒よりも、「噂」をもとにした誤謬を数多く生み出し、個人や社会の脆弱性を助長してきた」[Sontag 1989: 65]　と言われるように、「HIV／エイズは性行為で感染する」という伝搬の特異性から差別的な偏見に基づく社会不安を助長し、様々な隠喩が作られてきた。パンデミックの初期には、HIV／エイズは主に性行為や同性愛者、薬物中毒者の針の回し打ちによって感染するという偏見が助長され、一九八〇年代の米国においては「四H」倶楽部（同性愛者、ハイチ人、ヘロイン中毒者、血友病）と蔑称されてきた。その後、パンデミックの中心が東南部アフリカであることが明確になってくると、アフリカ人に特異な疾患としてアフリカ出身者を忌避するといった偏見が助長されてきた。

一九九〇年代のマラウイは、未だ伝統的世界観が色濃く残ったチェワ社会において、若者がHIV／エイズにより次々と亡くなっていくという未曽有の事態が起こっていた。HIV／エイズの蔓延によって引き起こされた人々の不安や恐怖は、多様な医療システムが混在する多元的医療システムの寛容性によって受容されていったが、特にそれまで顕在化していなかった宗教的価値観が興隆し、アフリカ独立教会（African Independent Churches：AIC）による「癒し」の儀礼によって、伝統的価値を乗り越えた新たな世界観を再構築する動的な過程があった。まさに「伝統」が再興されて社会変容を起こしていく様は、「文明のダイナミズム」といっても過言ではなかった。本章が、科学的な価値と社会・文化的な価値のはざまで揺れる社会デザインの実践的解釈として理解を深める一助となればと思っている。

二　調査

1　マラウイ共和国

マラウイ共和国は、アフリカ大陸南東部に位置する内陸国であり、植民地時代はイギリス保護領ニヤサランドと呼ばれていたが、米国で医師として活躍していたカムズ・バンダが帰国し、独立運動を起こしたことで一九六四年に英国から独立した。首都はリロングウェ、最大の都市はブランタイア。アフリカで三番目、世界で九番目の面積を誇るマラウイ湖は国土の二〇％を占めている。総人口は一五九一万人（二〇一二年）で、主要産業はメイズや紅茶などの第一次産業であり、人口の八四・五％が農業に従事している。

チェワ族が主要民族であり、その他にトゥンブカ族、ンゴニ族、ヤオ族など、約四〇の民族集団がある。第一国語はチェワ語であり、英語も第二公用語となっている。二〇一七年の国民一人当たりの国内総生産（ＧＤＰ）は三二五ドルであり、世界開発指標は一八九カ国中一七一位と低開発国である。宗教はプロテスタント（五五％）、ローマカトリック（二〇％）、イスラム教徒（二〇％）。アフリカでは珍しく対外戦争や内戦を経験しておらず〝The Warm Heart of Africa〟（アフリカの温かい心）という愛称を持つ。そのようなアフリカの最貧国のひとつマラウイに、一九八〇年代後半に南アフリカなどの炭鉱などに出稼ぎに行っていた人たちを介して、ＨＩＶ／エイズは流入し、婚外の異性間性交や母子感染などを通してわずか数年で感染が一気に広がっていった。

2　HIV／エイズの流行

後天性免疫不全症候群（Acquired Immunodeficiency Syndrome：AIDS）は、レトロウイルス科ウイルスであるHIV（Human Immunodeficiency Virus）によって引き起こされる疾患の総称である。HIVは一九八一年に同性愛者の特異的疾患として報告され、一九八三年にパスツール研究所のモンタニエ教授によってウイルスが同定された。八〇年代から九〇年代にかけてサハラ以南のアフリカにパンデミックを引き起こしたが、一九二〇年にはコンゴ民主共和国のキンサシャに第一号の患者がいたと推測され、七〇年代にはすでにアフリカ中央部のビクトリア湖周辺で「ugonjwa ya fedha」（お金持ちの病気）が報告されており、富裕層が急激に痩せて死亡するスリム病が東南部アフリカにすでに広く存在していたことがわかっている［Gallagher 2014］。

HIV／エイズの流行は、地球規模の公衆衛生危機であり、これまでに三五〇〇万人以上の生命を奪ってきた。米国においても一九九三年から一九九五年にかけて成人（二五歳から四四歳）の死亡原因の第一位であった。パンデミックのピークを迎えた一九九六年前後では、サハラ砂漠以南のアフリカでHIV感染者は二四五〇万人と推測され成人のHIV感染率は八・六％、これは世界全体のHIV患者の八七％であった。HIV／エイズは、サハラ砂漠以南のアフリカの死亡原因の第一位、世界全体でも四番目であり、平均寿命も四九歳まで低下した。

現代医学においてもHIV感染症を完全に治療する方法はまだないが、一九九〇年に承認された抗レトロウイルス薬AZTを筆頭に、様々な作用機序の治療薬が開発され、多剤併用療法（highly active antiretroviral treatment：HAART）によって感染伝播を最大限に防ぐことが可能となっている。二〇一七年では、世界全体で感染者の七〇％に当たる二一七〇万人のHIV感染者が抗レトロウイルス療法（ART）を受けていると推測され、一九九六年のHIV感染のピーク時と比べると二〇一六年では新規感染者が四七％も減少し、エイズ関連死亡も五一％減少している。

マラウイ共和国では、一五歳から四九歳の成人HIV罹患率は一九九八年には一五％とピークとなったが、性行動の変化と抗レトロウイルス療法の普及によって、二〇一六年では九・二%と減少し、新規感染者も年間三万六〇〇〇人と七〇%も激減した［Williams 2014］。

三　マラウイでの活動

筆者は青年海外協力隊に参加し、一九九五年一二月から一九九八年三月までアフリカ南部のマラウイ共和国、国立ゾンバ中央病院の外科医長として派遣され二年四か月間診療に従事した。英国植民地時代の面影を強く残すマラウイ南部の主要都市ゾンバ（人口約八万人）は、首都リロングウェから南へ三五〇キロの南部に位置し、一九六八年にリロングウェへの首都が移転される以前は、政治、経済、教育、宗教の中心都市であった。現在でも国会議事堂では年二回国会が開かれ、国立マラウイ大学の本部がある（医学部と大学附属病院はブランタイア）。国立ゾンバ中央病院は、一九〇三年に英国植民地政府の基幹病院として探検家リビングストンの娘のブルース夫人によって設立され、アフリカで最も古い公立病院の一つである（写真1）。

写真1　国立ゾンバ中央病院の玄関で毎日行われるエイズ啓発のための寸劇

私は、マラウイ南東部人口二〇〇万人をカバーする唯一の外科医であり、滞在期間の二年四か月間に実に三一〇〇例を越える手術を行った（この症例数は、私が日本で五年間に執刀した手術数の六倍である）。成人のＨＩＶ感染率は妊婦で三九%、全手術例の約五〇%はＨＩＶ感染陽性者と推測され、世界で最も感染率の高い地域であった。三五〇床ある病院ベッドには、常に一〇〇〇人を超える重症患者が入院しており、病院の診療機能はマヒ寸前の状態であった。ＨＩＶ感染に関しては、ＨＩＶ検査（ＥＲＩＳＡ法）は可能であったが、一九八七年に開発されたジドブジン（zidovudine、ＡＺＴ）をはじめとする抗レトロウイルス薬は希少で高価であったために輸入すらされておらず、ＨＩＶ／エイズに対する標準的治療は皆無であった。私たち外科チームが直面する疾患は、ＨＩＶ／エイズによって引き起こされる日和見感染（細菌性腹膜炎や結核性膿胸など）や悪性腫瘍（リンパ腫やカポジ肉腫など）など難易度が非常に高く、ＨＩＶ感染による免疫不全状態のために創傷治癒が遅れ、手術創の哆開や頻回手術症（ポリサージャリー）など、術後障害を起こすことが多かった。ＨＩＶ母子感染も深刻で、栄養不良の子供を抱えたエイズ末期の母親も多く、最終的には孤児として祖父母に引き取られるケースが多数あった。医療従事者のＨＩＶ／エイズ罹患も多く、毎月のようにスタッフが亡くなっていった。私自身も四名いた外科クリニカルオフィサーのうち二年余の赴任期間中に三名が亡くなるという悲劇に襲われた。来る日も来る日も続くＨＩＶ／エイズによる死に直面し、国立ゾンバ中央病院で診療した毎日が、目に見えないパンデミックの脅威に対する挑戦と後悔の連続であり、医師として逃れることが許されない極限の状況であった。まさに病院全体がＨＩＶ／エイズという名の目に見えない病魔に感染し、瀕死の状況であった（写真2）。

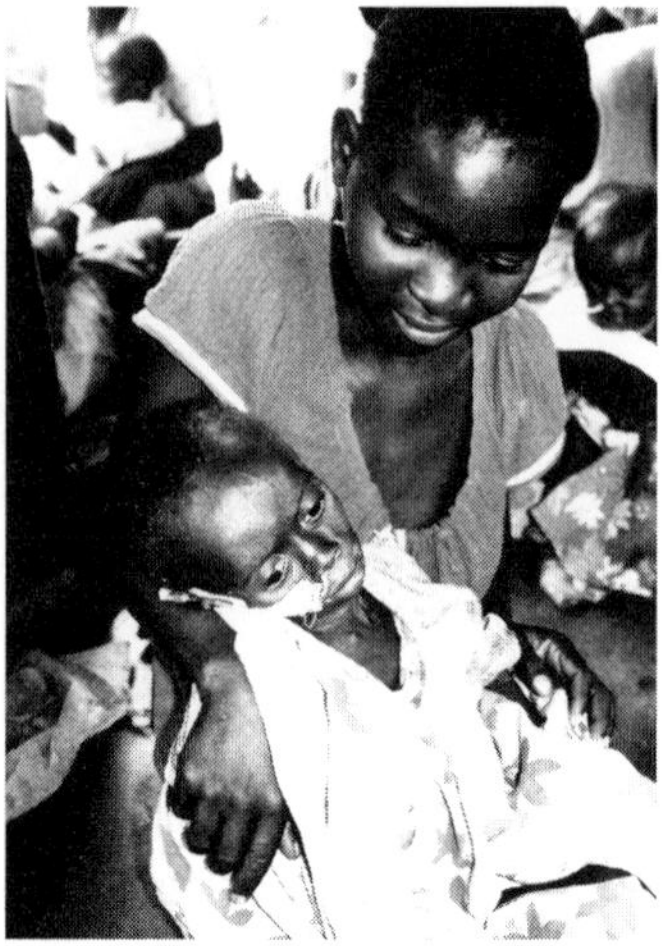

写真2　HIV／エイズ末期の母と子供

四　調査手法

本章では、病院とフィールドの双方における観察記録、患者や伝統医、宗教指導者への個人インタビューなどによる一次情報と、マラウイ大学社会調査センターの公式アーカイブ、ロンドン大学アジア・アフリカ研究大学院（SOAS）図書館などの二次情報源を用いている。一九九六年の初めから一九九八年の三月まで、診療行為を通した参与観察として、国立ゾンバ中央病院の外科診療の他に、地方病院への巡回診療を定期的に実施し、地方の病院や保健所での診療を通したインタビューを行った。意味のある「厚い記述」に向けて、マラウイ南部の主要言語であるチェワ語を習得し、病院内のすべての患者とスタッフは重要な情報提供者とみなし、積極的にインタビューを行った。さらに、週末などを応用してアフリカ独立教会の教会活動に参加し、彼らの治癒実践を調査するためゾンバ周辺の村々に泊まりこみ、治癒儀式の前後において宗教指導者と信者へのインタビューを積極的に行った。また、ロンドン大学アジア・アフリカ研究大学院に留学時の二〇〇一年七月から八月にかけてゾンバを再訪し、ＨＩＶ／エイズ流行の傾向と現状や、宗教活動や社会変容に関する情報を収集するため、二か月間の追加フィールドワークを行った。

五　結果

1　マラウイの伝統的な世界観の変化

マラウイのチェワ族においては、現代にあってもニャウ（Nyau）と呼ばれる世界観に基づく精神的理解を通して現世界に起こるすべての事象が説明される。ニャウは、祖先（mizimu）と野生の鹿（nyau）の入れ替わりを特徴とする仮面の踊り（zirombo）に象徴され、チェワ族社会における土地の豊かさと社会の再生という循環社会の概念を具現化するための秘密結社（secret society）として理解される［Van Breugel 2001］。マラウイ国内では、典型的にはいくつかの隣人が秘密結社のネットワークを作り、民族的な複雑さにもかかわらずニャウは異なる社会単位によって実践され、熱狂的な歌と舞踊として実践されることで世界観が共有される。またニャウの医療的側面としては、人生は「病気と癒し」の循環として捉えられ、病気も誕生、結婚、葬式などのライフコースの出来事と同じように儀式化される。つまり、HIV／エイズが社会に対する大きな脅威であったとしても、それは、抵抗、期待、そして新しい社会秩序への到達という「再生」の方向性が示されることがニャウ世界の特徴である。

ニャウの起源は、繁殖力と生殖機能を重視する「女性性」であるとする論説が有力である［Hodgson 1933, Rangeley 1949, Schoffeleers 1973］。チェワ社会には、現代においても強固な母系社会構造が残っているが、「女性が土地の所有者である」とする土地と女性の繁殖力に大きな関連が認められる。さらに、患者が病気を説明する場合、「熱い」(女性、性的、土地、人間)と「冷たい」(動物、舞踊、雨、祖先)の対比で表現されることが多く、疾病と社会再生における循環の中で最終的には女性性への回帰が示される。

さらにニャウの政治的側面は興味深い。歴史的に、ニャウの世界観は安定的な社会の繁栄を尊重するために保守的な傾向にあり、様々な外部の侵略に対して政治的な抵抗や自由化の主要な源泉となってきた［Rangeley 1949; Linden 1975］。初期の植民地期に、新たに南部から移住してきたンゴニ族は、キリスト教布教を行う「ミッションスクール」を認めてきたが、チェワ族は一九四〇年代に反ミッション学校運動を率い、さらには英国植民地が推し進める「父権的社会構造」に対する抵抗と解放を求めた。その後、カムズ・バンダ医師による独立運動を経て、一九六四年の独立、さらには「女性はスカートをはくべきである」という法律が頑固に支持されたように、「女性性」を前面に押し出した長期政権につながっていった。確かに、後述するようにHIVパンデミックに遭遇したチェワ社会において、ニャウの伝統による強固な保守傾向によって、近代的な文化生活より、ザイオン教会が布教する伝統的な生活様式を推し進める原動力になってきたと言える。

チェワは、しばしば「神は先祖の霊」（Chiuta ndi mzimu）と呼び、多神教的な性格を持つ象徴としてのチウタを信じる。チェワの口述文献によれば、チウタは豊かな女性性を象徴する人間、土地、風景、雨、森林などの「良い道徳」を作り出し、先祖は邪悪な男性性の「呪い」によって病気、悪、魔術などの「悪い道徳」を作り出しているという［Schoffeleers and Roscoe 1985］。その意味で、病院に来る多くの患者は、日常的な病気を先祖の呪いによると表現することが多いが、ハンセン病、癲癇、先天性奇形、自然災害などの疾病は「チウタ」による特別な災い（ある意味で福音）として表現される。

重要なのは、聞き取りを通してＨＩＶ／エイズは、「チウタからのメッセージ」と理解される傾向が明白であり、ＨＩＶ／エイズは人間の不道徳に対する祖先からの罰ではなく、誰もそれを操作できない神による道徳的行為（福音）とされる。そのために、多くの患者はＨＩＶ／エイズに罹患したことがわかると、積極的な治療や先祖の呪いを解く悪魔祓いをやめて、宗教的な儀礼に身を投じる精神的土壌となっていると考えられた［Breugel 2001, 132-135］。

妖術、ウィッチクラフト（ufiti）はチェワ族の世界観において、生命、死、治癒という概念に中心的な関わりを持つ重要な意味体系を構築している。チェワ社会における妖術は、二つの明確な意味を持っている。最初の妖術は、先祖からの災禍としての「日常の病気」である。それは、深夜にカメレオンやヘビなどが人間の肉を食べることで起こると信じられており、現世を超越した世界観からくる災いとして「真の魔術」であると言える。もう一つの妖術は、人間同士の愛憎によって肉と血の中に存在し、妬みや誹りなどの邪悪な心を持った人が起こす **mfiti m'pheranjiru**（悪意ある者による殺人）である。それは一九二〇年代のエバンス＝プリチャード［Evans-Pritchard 1976］によって記述された人間の心性の魔術的理解であると言える。

妖術から身を守るための儀礼は、主に伝統医（sin'ganga）と薬草師（mankhwala）によって、毒薬（sin'ganga wowombeza）、精神療法（sin'ganga mizimu）、蒸気療法（mankhala ofunda）、刺青療法（mphini）として実践されている。つまり先祖からの災いとして理解される妖術による「日常的な病気」に対して、ザイオン教会（Apostolic Zion Churches）などの新興宗教の教祖たちは、伝統医と協働体制を整備し、これらの癒しの儀式を宗教的な活動に取り込み人気を得てきた。多くの伝統的な治療実践は、実は新しい伝統を作り出すことによって始められた疑似伝統である。Schoffeleers［1992］は、マラウイの近代化の後、彼らの世界観の中心的テーマは、伝統的な宗教的実践から、魔法と魔術に支配されたある種の擬似宗教にシフトしてきたと指摘している。それは妖術への多様な治療実践は、グローバリゼーションの文脈における近代アフリカの市場経済化の一端であり、ＨＩＶ／エイズのパンデミックによって新興宗教の普及が加速されたと考えられる［Comaroff 1993; Geschiere 1997］。

ＨＩＶ感染においては、皮膚潰瘍や口腔カンジダ症の兆候は、妖術による魔法使いの侮辱の始まりとみなされ、伝統医たちは邪悪な呪いを避けるための儀礼を行う。しかし、感染の流行が深刻なレベルに達し社会全体を脅かすようになった時、伝統医の行為は宗教的な実践に取り込まれ、父権的な「エイズ」と「市場経済としての西洋医療」という二つの邪悪な侵略に対する集団的な悪魔払いとして昇華されていった。ザイオン教会の宗教指導者は次々と象徴的な治癒儀式を発展させ、伝統的医療から象徴的な宗教治癒へのパラダイムシフトとしてグローバル市場経済に飲み込まれていった。

さらに、ＨＩＶ／エイズがパンデミックとなって多くの若者や妊婦の命を奪い始めた一九九〇年代後半、自発的な検査を強いながらもＨＩＶ治療に無力な西洋的病院や、妖術を告発しながらも、多くの犠牲者しか生み出さなかった伝統医療自身がコミュニティを呪う妖術である、という告発がカルト的宗教指導者の中から起こってきた。一九九六年以降、宗教指導者は信者に対して、西洋医学および伝統医学の双方を控えるよう発言が行われてきた。このような社会変容の背景によって、ＨＩＶ／エイズの蔓延に揺さぶられたチェワ社会に、ザイオン教会による福音運動（Apostolic Zionism）とペンテコステ教会による新生運動（Born-Again）というアフリカ独立教会による特徴的な宗教運動が興隆し、ＨＩＶ／エイズに無力な西洋医学と伝統医学の双方を置き換える新しい社会システムとして興隆してきたと考えられた。

２　ザイオン教会――エイズパンデミックに対する「伝統的」な宗教的抵抗

マラウイにおいてＨＩＶ／エイズという疾病はパンデミックな広がりを見せながらも、検査で感染の有無を調べることは可能だが有効な治療法はない「不治の病」として理解され、治療システムとしては非常に脆弱な状況であった。そのため、ＷＨＯやユニセフなどの国連機関や米国やドイツ政府の開発援助機関の指導の下、自発的カウンセリングによるＨＩＶ検査（Voluntary Counselling and Testing：ＶＣＴ）によって自分自身の感染の有無を知り、強制的に感染者の性行動を制限することによる感染拡大の阻止が国家的規模で行われていた。つまり、多くの感染者に対しては死を待つというまさに功利主義的であり医学的には敗北ともいえる公衆衛生介入が村々まで普及していた。このように、国際社会による「公的」な立場で客体化された「ＨＩＶ／エイズ」という概念は、他人のために自分自身の命を犠牲にする「科学的な倫理観」に従順で、「自己犠牲的」な尊厳を持った人間像を押し付けることに終始した結果、人々の生命を奪う脅威に対する、本来的でダイナミックなマラウイの人々の「生きる力」を無視してきたと言える。

国立ゾンバ中央病院で検査を行う人たちが増える一方、ゾンバ市内や周辺の村落で「ザイオン教会」を主体としたアフリカ独立教会が急速に興隆してきた。病院での科学的な検査結果は、自分がＨＩＶに罹患したことを説明するが、なぜ感染したのか、どのような因果で自分は死ななければならないのかといった、個人の不安や苦悩に意味を与えることはできなかった。その結果、人々は、「Edzi was sangachile ndi manbhwala ku chipatala」（ＡＩＤＳは病院では治療できない）と口々に唱えながら宗教活動に進んで身を投じた。一九九〇年代のＨＩＶ／エイズの流行時は、この

写真３　ザイオン教会（ゾンバ近郊）

写真４　教祖ピリ氏

科学的な説明の曖昧さが故に、アフリカ独立教会による象徴的な宗教的儀礼を促進し、共同体による治癒の意味を見出す世界観の創造を促し、伝統社会が大切にしてきた思いやりと連帯による安心できる居場所を新しく作り出してきたと言える。

ザイオン教会による宗教運動は、歴史的には一九世紀終わりに米国イリノイ州ザイオンでジョン・ドーウィー（John Alexander Dowie）らによって設立された。その後、一九〇八年に南アフリカ共和国に波及し、アフリカ独立強化の精神的な母体として広がり、マラウイでは一九九六年時点で人口の四〇％がザイオン教会に所属していたと推定される［Strohbehn 2016］。ザイオン教会は、世俗的な生活で失われてきた秩序を、啓示を受けた宗教的リーダーに導かれた聖霊が復活することによって道徳的な理想を回復し、社会的な統制と永遠の平和を望む宗教的運動である［Comaroff 1995: 166］。治癒儀式の中心的なテーマは、ニャウの世界観に基づく平和と生存を目指した共同体の再生であり、信者は過去と祖先の精神とつながることによって、外部の脅威とは無関係な本来の自分自身を伝統的な太鼓のリズムと音響の中で取り戻そうとした（写真３）。

国立ゾンバ中央病院から約二〇キロ離れた「ヨハネ・マソウェ神の使徒的な安息日教会」で毎週日曜日に行われる癒しの儀礼に参加し、約一年間をかけて教祖ピリ氏にインタビューを行った（写真4　教祖ピリ氏)。彼は一九六〇年代に南アフリカの炭鉱へ出稼ぎに行っていた時にザイオン教会に遭遇したという。その後マラウイに戻った彼は、HIV/エイズによって村の若者が次々に亡くなる惨状を、南アフリカの炭鉱で同僚の若者たちが次々と亡くなった当時の光景に重ね合わせ、三年前に神の啓示を受け教会を設立した。「ヨハネ・マソウェ神の使徒的な安息日教会」は、伝統的なニャウの価値観の再活性化に重点が置かれ、「sitingakhulupirire chilochonse」(何も信じられない)と現代社会に抗議することによって、西洋に迎合する国家の覇権と科学主義の近代化に対する敵意を示した。彼は西洋医学に対して強く抗議の態度を取り、私がいる前で信者に対し病院に一切かかってはならないと説いた。実際、HIV/エイズは西洋の物質生活の隠喩としてとらえられ、パンデミック自体が否定された。癒しの儀式は、太鼓、歌、ダンスを伴った音楽的な恍惚の「ngoma(ンゴマ)」であった。人々は先祖の精神とのコミュニケーションに専念し、その過程で体と心の調和を取り戻し、ンゴマの劇的なリズムで現在の苦しみを古き良き時代に昇華させることで病んだ心と身体を治癒しようとした。

ショフラーズ(Schoffeleers)の定義[一九九一]によれば、「ヨハネ・マソウェの神の使徒の安息日教会」における宗教的テーマは、物質世界に対する非常に強固な抵抗であり、伝統的な生活の維持と現代生活の完全な拒絶であり、急速な社会変化に対する「沈黙」と「自己否定」の姿勢を貫くことであるという。ターナー[Turner 1969]は、アフリカにおける独立教会は、西洋とキリスト教の影響に対抗して、伝統への愛国心を掻き立て、民族的、言語的な多様性を積極的に統一に導く役割を担っていたと指摘している。この宗教を通した国家統一は、エチオピアの古代キリスト教王国が原型であるとされ、キリスト教自身がアフリカ土着の宗教であると解釈される。ザイオン教会はエチオピア正教会と同じように、植民地的支配の永続的な覇権に対抗して、伝統的な社会における酋長制と非世俗的な神聖さを強調した。HIV/エイズパンデミックにおいても、病院で検査を受けて「死刑宣告」を受けるより、共同体による伝統的な生活様式と癒しの儀礼が創造する安心できる居場所としてのザイオン教会に人気が集まったと言える。

しかし、たとえ彼らが静かな人生を維持したとしても、ＨＩＶ／エイズという伝染病は伝統的なセクシュアリティのネットワークを介して社会の深部に徐々に浸透していく。彼の信者の中にいる重症患者の悲惨な苦しみを目の当たりにして、「死が避けられない」危機的な感覚は内的矛盾と象徴的治癒への新たな需要を生み出していった。かつて南アフリカの炭鉱において「ザイオン教会の信者が病気になると、教会そのものの権威が危険にさらされていると解釈される」[Kiernan 1976: 362]と指摘されたように、隆盛を誇ったザイオン教会による「伝統的価値」の再興というテーマは、価値観の多様性に柔軟で寛容であるペンテコスタ教会の台頭、さらには一九九七年以降のボーン・アゲイン運動の興隆という社会変革に引き継がれていった。

3　ペンテコステ教会——現代的で柔軟なボーン・アゲイン運動

ボーン・アゲイン運動（abadwa mwatsopano）は、癒しの選択肢としてＨＩＶ／エイズの検査を受けることなど、西洋医学に対して協調的な姿勢を示すことが特徴である。治癒そのものは、個々の病気の経験の具体化であり、聖霊の名の下に病院の診察を受けることを容認する一方で、満足を得られない場合は伝統的な癒しの儀式を提供する。キリスト教のホーリースピリットと伝統的なニャウの宇宙論との融合の中で、病気は個々の不幸に起因するものと見なされ、聖霊と話すことで集団的な除霊を通じたカウンセリングが重要な癒しの儀礼となっている。つまり、ギター・キーボード・マイクという現代社会の道具をふんだんに用いたゴスペル音楽のリズムに合わせて、ＨＩＶ／エイズに対して無力な現代医学を宗教的な象徴的治癒としてそっくりそのまま置き換えることを意図していると言える（写真５）。

元ゾンバ中央病院の事務長であったエディスタ・カリンブカ氏にペンテコステ教会を紹介してもらった。ペンテコステ教会の一派である「真実の道」は、一九八三年にマンゴチ地区に現れた預言者アンドリュー・ガブリエルによって設立された教団である。彼の優れた透視や読心といった霊能力は多くの人々を治療してきた結果、「真実の道」は、マラウイ国内に九〇拠点、南アフリカ、モザンビーク、ザンビア、ノルウェーにも国際拠点があり、約二万人の信者がいる教団として発展している。カリンブカ氏自身も、マラウイ大学医学部付属病院で重度の腎不全で予後不良を告げられ、死を目前にして「真実の道」に加わることを望んだ。一九九七年前後にカリンブカ氏は病院を抜け出し数々の治癒儀式を受けていたが、二〇〇一年に再会した時には抗レトロウイルス薬を飲み、完全に回復して健康であることに驚いた。

私はゾンバ郊外にある茅葺きの屋根で作られた「ユナイテッドペンテコステ教会」と刻まれたプレートのかかった「真実の道」を毎週訪ねた。土曜日になると病院関係者を含む約五〇人の人々が礼拝に集い、信者たちは自らの苦しみに関して独特な抑揚で表現された言葉を発し、癒しの儀式はゴスペル歌、説法、カウンセリングという順序で定型化されていた。特に、伝統的な価値観を尊重するザイオン教会で中心的な役割を担っていた太鼓は礼拝中に全く使用されることはなく、神聖な未来は伝統と切り離され、過去はもはや彼らの内省の対象ではないことに驚いた。

写真5　ボーンアゲイン運動（参考資料：https://www.irisglobal.org/multimedia/photos）

彼らは唯一で単一の「ホーリースピリット」を信じ、祖先、魔術師、伝統的医療を信じることはなかった。祈りの目的は一次的には個人の治癒であったが、究極の目的は「世界の平和」を達成することであると説かれていた。ＨＩＶ／エイズは、病院で緩和療法を受けなければならない「疾病」として概念化されており、ＨＩＶ検査や抗レトロウイルス薬を含む積極的な治療を受けることが勧められていた。また、彼らはエイズ予防について高い倫理観を持ち、コンドームを使った安全な性交渉が勧められていた。彼らはＨＩＶ／エイズが病院で完全に治療されることはないと知っているがために、霊的で精神的な癒しを求める患者を歓迎し、相談料として月収の約一〇％が支払われていた。まさに米国南部のペンテコステ教会と同じように「教会ではなく病院だった」[Sundkler 1961: 237]。

このようにペンテコステ教会によるボーン・アゲイン運動は、古いストッキングを脱ぎ捨て新しい実践的な癒しの手法を開発することで、生物医学的な治療と宗教的な癒しの双方により大きな福音を人々に与え、治療薬が普及するまでの一九九七年から二〇〇五年前後の数年間に大きな勢力となっていった。その意味で、資本主義的なグローバル経済の辺縁にいて無視され続きてきたマラウイの農民が、地球規模のＨＩＶ／エイズ対策という名前の新しい「知」の覇権によって、世界の潮流に再結晶化されたと考えることができる。ＨＩＶ／エイズという地球規模課題に対処するために、公衆衛生対策の優越性はアフリカの伝統的社会に躊躇せず介入し、懐柔し、蹂躙し、パンデミックによるアフリカ地域社会のアイデンティティの崩壊と西洋医学的な「知識体系」への収斂を起こしていった。まさに、外部からだけではなく、内部からも同調を求める「帝国主義」によるヘゲモニーとでもいうような社会変革である。ある日、ザイオン教会の老いた指導者の一人が病院にいる私を秘かに訪れ、「私は病院の治療を信じていないが、後継者を準備するために私の健康状態を知りたい」と言ってＨＩＶ検査を受けた。彼は言った、「信者の多くはＨＩＶ検査を受け治療薬が欲しいと言っている。ザイオン教会の存在意義は、ペンテコステ教会の普及に伴って、非常にあいまいな立場となってきている」と語った。

現代マラウイにおける宗教的表現による多元的治療を求める欲求は、決定論的な生物医学的な言説によって顕在化してきたＨＩＶ／エイズの曖昧な側面を社会的、文化的に意味付けていく過程であった。ザイオン教会やペンテコステ教会などのアフリカ独立教会で実践される象徴的治癒の集団的な行為は、西洋の知識によって切断された個人と社会のアイデンティティを復権し共同体における新しい価値観を創造することに専念してきた。私がマラウイでの診療行為を通して経験してきた様々な象徴的宗教実践は、ザイオン教会であれ、ペンテコステ教会であれ、ローカルとグローバルな価値体系を統一する社会のダイナミズムであると言える。

六　考察

「人々は決して真の意味での科学的知識を自然のものと受け取ることはなく、脱魔術化（Disenchantment）という長い歴史の産物としてしか理解されない」、とブルデューが指摘したように［Bourdieu 1990: 76］、医学も公衆衛生学の知識も、新しい知見がエビデンスとして紹介されるたびに、本来の目的とは異なった意味が展開され、結果として危険な職業や危険な民族という犠牲者を生み出し、本当に必要とされるケアの土壌が生み出されてこなかったのかもしれない。マラウイにおけるＨＩＶ／エイズの流行によって興った社会変容は、まさに西洋的な科学的知識と伝統的な世界観との確執の中で人々が生きるための意味を見出す生成的な活動であり、時代と共に変化する価値観が生み出す「社会デザイン」の実践であった。

本章では、マラウイ共和国国立ゾンバ中央病院における外科診療を通して、ＨＩＶ／エイズパンデミックという外部の脅威に対し、マラウイに暮らす人々の能動的な宗教的実践の過程を通して、価値観のダイナミックな変化に伴う文化変容を体験した。特にアフリカ独立教会によって実践されてきた「ザイオン教会」と「ペンテコステ教会」という二つの宗教的な儀礼の変遷は、それぞれが大切している教義に基づきながらもその解釈を柔軟に変化させながら、社会的、歴史的、文化的に多様な状況における福音（福祉）の意味を人々に示すためのダイナミックな社会変革であった。それは、死に至る病であっても希望に満ちた生を紡ぐ、生物医学的知識の翻訳適応と共同体としての治癒のプロセスであり、目に見えない脅威に対して、マラウイの人々が決して無力ではなく様々な宗教的儀礼の復活と変遷により、新しい社会的価値を創造し、能動的に生きていく人々のたくましさであった。まさに、社会的、文化的、そして人間的な苦しみに対峙するアフリカの叡智として、チェワ社会の伝統的な世界観を踏まえた「社会デザイン」の実践的過程であったと言える。

アフリカでは一般的に、西洋医学的な「疾病（disease）」という概念とは異なり、「病気（illness）」は一般的に不幸や苦しみを含む広範な意味を伝えるとされる［Turner 1967; Janzen 1978］。この「病い」の包括的概念は、ＨＩＶ／エイズにおいても行使されてきた。ＨＩＶ／エイズは、ウィルスによる感染症という生物医学的に決定的な概念を持ちながらも、マラウイの人々にとっては「先祖の呪い」もしくは「神の啓示」として理解され、伝統的かつ宗教的な儀礼によって癒されるべき象徴的概念であった。「癒し」は「身体的、社会的、霊的な力学を再構成するための日々の慣行の文脈として包括的に理解されるべき」［Comaroff 1981: 639］であり、宗教と治癒は相互に協力的な実践的テーマであった。さらに西洋的な疾病の決定的存在に対して、象徴的な宗教的治癒は、個人と社会の双方において恣意的に操作が可能なデザインのプロセスでもあった［Turner 1967］。

ショフラーズは、「病気」と同様に「治癒」にも、さまざまな文化的背景の中で異なる意味合いがあることを指摘している［Schofeleers 1991: 159］。ジャンセンは、ザイール川下流域の治療儀礼の意義は、病気の治療ではなく病気と話すことであると明らかにした［Janzen 1978］。その後、彼はアフリカ南部の異なる地理的資料の中で、恍惚とした歌ダンス「ngoma」を探求し、アフリカ独立教会によって行われる「苦難のカルト」は、被験者の自己実現とコミュニティの文化変容を通じて苦難を克服するための治療儀礼として一般化した［Janzen 1992］。教祖の主観的な教義は、宇宙論的テーマに沿った治癒力を示しながら、癒しの儀式共同体のメンバーの社会的再生の過程として客観的に示され、未来の発展を約束する官能的なリズムとして精巧に概念化されている。

さらに治癒の象徴的な構築は、外部の社会的ダイナミズムによって操作される。アフリカ独立教会における中心的な関心は、「ザイオン教会」が示したグローバリゼーションに伴う市場経済の浸食とアフリカの近代化における抵抗としての象徴的アプローチから、「ペンテコステ教会」が示した世界変化に従順で利用する側の動的変化へとシフトした［Van Binsbergen 1981; Comaroff 1985］。ＨＩＶ／エイズは、「アフリカ＝伝統的固定概念」という構図を凌駕し、西洋覇権主義的な知の支配さえも調和的で友好的なものとして歓迎され、ＨＩＶ／エイズはグローバリゼーションの過程で「実現、成就」することができるものとして再定義された［Janzen 2000: 166］。「ヨーロッパと北米では、医学雑誌とジャーナリズムの両面から、アフリカをエイズによる脆弱者として描き出すことに苦心してきた。しかし、アフリカ人は、この生物医学的な文脈の中で、決して無邪気に病むことはなかった」［Vaughan 1991: 205］という表現は非常に的を射ている。

このように見てくると根本的な課題は、国際社会がアフリカの人々の「生きる」力を見誤ってきたことにあるのではないだろうか、という反省に達する。人類の歴史の始まりとともに、アフリカの人々は風土病や流行病に苦しんできた。マラリア、結核、梅毒、ハンセン病などあらゆる疾病は、彼らの世界観の説明に基づいて独特の治癒儀式を生み出してきたことは明白である［Vaughan 1991; Ranger and Slack 1991; Feierman and Janzen 1992］。

アフリカでは一般的に、「医師や病院は専門職や専門機関として治療の主人公である」、という概念に乏しく、患者は診断と治癒に積極的に参加することが期待されている。しかし、科学的知見においては、一般に知識を持っている人と、無知で受動的な患者との間では、優位性が規定される。つまり、生物医学や公衆衛生学という父権的で権威的な知識体系は、「外部環境を操作する真の主体は現地の人々である」という本質を無視してきたのかもしれない。言い換えると、ＨＩＶ／エイズに対する公衆衛生的なアプローチは、自己完結型の現代生活を強制することによって世界秩序を均質化しようとする努力であり、人々が望む自由で柔軟な社会デザインの主体を奪い去っているのかもしれない。その結果、グローバリゼーション時代における「人間観」の強要は、逸脱者に対する差別や偏見を助長し、対話的コミュニケーションが欠如することによって、宗教的な不寛容や多様性の排除という社会的不協和音を生み出しているのではないだろうか。

本章で描かれた宗教的信念の変遷は、超越的で決定論的な「伝統」を反映したものではなく、現実社会に意味のある一種の世俗的な文化変容であった。チェワ社会では、アフリカに普遍的見られる多元主義的な道徳秩序を反映しつつ、治癒儀式は伝統的な叡智を超えて、宗教的慣行としての新しい文化を興隆させてきた。彼らは「ＨＩＶ／エイズ」という生物医学的な疾病概念を流布する現代文明の流行に反発しつつ、一方で戦略的に取り入れながら、コミュニティの生存と人間の幸福に基づいた革新的で戦略的で精巧な自己正当化のプロセスを形成したと言える。つまり、柔軟な社会デザインの在り方は、社会変革の主体が人々、つまり「当事者」であると再認識することによって、真に意味のある価値観の創造につながることを示していると考えられる。様々な危機を乗り越え、新しい価値観を創造するという社会デザインのあり方について、未曾有の危機に瀕した当時のチェワ社会の本質的で柔軟な文化変容のダイナミズムから学ぶことはたくさんあると思われる。

感染症パンデミック、経済格差、健康格差、移民難民などＳＤＧｓの諸課題に直面する国際社会において、真に私たちが行動するべきことは、西洋的な「人間観」に基づく道徳的な価値基準を標準化する作業ではなく、高齢者、障碍者、貧困者、ＨＩＶ／エイズ患者などの無数の声を包摂する努力によって、全ての人にとって「意味のある」未来を創造する責任を負うことである。現代社会は、脆弱な人々が発するメタ言語の象徴的な意味を読む解くことによって、世界と地域の文脈の相互理解を深めるべく、高度に対話的な想像力を持ち続けることが重要である。それはバフチンが指摘したような「それぞれに独立して互いに融け合うことのない多くの声と意識、それぞれがれっきとした価値を持つ声たちによる多音声的な会話（ポリフォニー）」[Bakhtin 1991] と表現されるような、共感的で協奏的な社会デザインの在り方である。

参考文献

Bakhtin, M.
1981 *The Dialogic Imagination*. Austin: University of Texas Press.

Breugel, J.
2001 *Chewa Traditional Religion*. Blantyre: CLAIM.

Bourdieu, P.
1977 *Outline of a Theory of Practice*. Trans. R. Nice. Cambridge: Cambridge University Press.
1990 *The Logic of Practice*. Cambridge: Polity Press.

Comaroff, Jean
1981 Healing and Cultural transformation: the Tswana of Southern Africa. *Social Science and Medicine* 15B: 367-78.
1985 *Body of Power, Spirit of Resistance; the culture and History of a South African People*. Chicago: University of Chicago Press.

Comaroff, Jean and John, eds.
1993 *Modernity and its Malcontents; Ritual and Power in Postcolonial Africa*. Chicago: University of Chicago Press.

Evans-Pritchard, E.E.
1976[1937] *Witchcraft, Oracles, and Magic among the Azande*. Oxford: Clarendon.

Feierman, S. and Janzen, J., eds.
1992 *Social Basis of Health and Healing in Africa*. Berkley: University of California Press.

Gallagher, J.
2014 *Aids: Origin of pandemic was 1920s. Kinshasa*. BBC. Retrieved October 5, 2014.

Geschiere, Peter
1997 *The Modernity of witchcraft*. London: University Press of Virginia.

Hodgson, A.

1933 Notes on the Achewa and Angoni. *Journal of the Royal Anthropological Institute* 63: 146 – 152.

Janzen, J.

1978 *The Quest for Therapy in Lower Zaire*. Berkley: University of California Press.

1992 *Ngoma; Discourses of Healing in Central and Southern Africa*. Berkley: University of California Press.

2000 Afterward; Doing Scholarly Ngoma. In *The Quest for Fruition through Ngoma*. R. Van Dijik, R. Reis, and M. Spierenburg., eds. Oxford: James Currey.

Linden, I.

1974 *Catholics, Peasants and Chewa Resistance in Nyasaland 1889 – 1939*. London: Heinemann.

Rangeley, W.

1949 Nyau in Nkhotakota District. *Nyasaland Journal* 2 (2): 35 – 49.

Ranger, T. and Slack, P., eds.

1991 *Epidemic and Ideas: Essays on the Historical Perception of Pestilence*. Cambridge: Cambridge University Press.

Schoffeleers, J. M.

1973 Towards the Identification of a Pro-Chewa Culture. *Journal of Social Science* (University of Malawi), 2: 47 – 60.

1991 Ritual Healing and Political Acquiescence. *Africa* 60(1): 1-24.

1992 *River of Blood, The Genesis of a Martyr Cult in Southern Malawi*. Madison: The University of Wisconsin Press.

Schoffeleers, J. and Roscoe, A.

1985 *Land of Fire, Oral Literature from Malawi*. Limbe: Popular Publications.

Sontag, S.:

1989 *AIDS and Its Metaphors*. New York: Penguin Books.

Strohbehn, U.

2016 *The Zionist Churches in Malawi - History - Theology – Anthropology*. Mzuni Press, Malawi

Sundkler, B.

1961 *Bantu Prophets in South Africa.* London: Oxford University Press

Turner, V.W.

1967 *The Forest of Symbols; Aspects of Ndembu Ritual*. Ithaca: Cornell Univ. Press.

1969 *The ritual Process; Structure and Anti-structure*, London: Routledge.

van Binsbergen, W.

1981 *Religious Change in Zambia; Exploratory Studies*. London: Kegan Paul Int.

2000 *Witchcraft in Modern Africa, as Virtualized Boundary Condition of the Kinship Order*, http://binsbergen.bravepages.com/witchtxt.htm

Vaughan, M.

1991 Curing their Ills, Colonial Power and African Illness. Stanford: Stanford University Press.

人々の分け前と統治のテクノロジー

西　真如

一　配分の政治と統治のテクノロジー

この地上は、人間の手によるさまざまな素晴らしい生産物であふれている。私たちは何を根拠に、その分け前を要求するのだろうか。二〇一二年に公開された映画『天使の分け前』のケン・ローチ監督は、スコットランドの根深い失業問題を背景に選び、スコッチウイスキーというたぐいまれな生産物を題材に取り上げることで、この問いを印象深い物語に昇華させている。その三年後、政治人類学者のジェームズ・ファーガソンは、南部アフリカ諸国における現金給付の拡大を題材として、人々の正当な分け前（a rightful share）とは何かと問うた［Ferguson 2015］。その背景には、今日の世界においてアフリカが事実上、「新たな配分の政治」の実験場になっている現実がある。ファーガソンのいう新たな配分の政治とは、労働への対価とか贈与への報酬ではなく、生産物に対する正当な分け前の要求を指している。新たな配分の政治がおこなわれるところでは、シチズンシップは抽象的な権利ではなく、実質的な分け前と直接に結びつくことになる。例えば各国の現金給付プログラムの受給者は、直接には国家予算に対する分け前を得ていることになるだろう。だが新しい配分の政治における分け前とは、究極的にはグローバルな生産活動によって得られた果実の総体に対する分け前のことを指しているのである［Ferguson 2015: 51-56］。

問題は、新たな配分の政治が人々の生活や社会関係にどのような影響を与えるかである。北の福祉国家において築き上げられてきた福祉レジームは、就労や核家族といった社会制度にかたく結びつけられてきた。これに対して南の世界で拡大しつつある新たな配分の制度は、それらの社会制度も、その制度の中に市民を位置づけるための込み入った手続きも迂回して、人々に分け前を届けようとする傾向を持つ。それは決して南の世界における新たな配分の政治が、北の世界が築いてきた福祉制度の貧弱な模倣として成立しているという意味ではない。むしろそれは、高度に発達した官僚制国家の必要を極小化するための新たな統治のテクノロジーと結びついた配分なのである。北の福祉国家において、就労や核家族と結びついた配分の仕組みは、往々にして社会的排除を実行する装置として働いてきたことがたびたび指摘されている。南の世界における新たな配分の政治は一見すれば、人々の生存の条件を特定の道徳的秩序の枠組みから解放するものであるように思われる。それを支える統治のテクノロジーは、より民主的な社会への変革を促すものなのか。それとも人々を分断し抑圧することが当然のようにおこなわれる既存の秩序の中に組み込まれ、今までとは違うやり方で分断や抑圧を実行する装置であるに過ぎないのか。本稿では、この問いについて検討したい。

以下、本章の第二節では、ファーガソンのいう新しい配分の政治が、本章で取り上げる統治のテクノロジーとどのような関係にあるのを検討する。これを受けて第三節では、アフリカにおけるＨＩＶ介入の展開を事例として、健康統治のテクノロジーが人々の生にどのような影響を与えるのかを検討する。二一世紀におけるグローバルなＨＩＶ介入の展開は、抗ＨＩＶ薬という素晴らしい生産物の分け前を世界中の人々に届けるという意味では、ファーガソンのいう新しい配分の政治に匹敵する出来事だといえるだろう。だが同時にその介入は、限られた資金でＨＩＶ流行を収束させるための健康統治のテクノロジーによって制御される必要がある。グローバルなＨＩＶ介入がアフリカで生活するＨＩＶ陽性者の生にどのように作用するかは、健康統治のテクノロジーがどのような介入を促し、どのような社会の文脈において作用しているのかを知る必要がある。

二　南の世界における新しい配分の政治

1　「失敗国家」を超えて

ファーガソンは、Give a Man a Fishという印象的なタイトルの著書において、南部アフリカ諸国で急速に広がる現金給付プログラムを検討し、そこで立ち上がりつつあるのは、北の国家が築いてきた福祉レジームとは全く違う姿をした、新たな配分の政治であるという議論を展開している［Ferguson 2015］。本節の目的は、ファーガソンのこの議論について検討することだが、その前に彼の議論が南アフリカやナミビアといった特定の国家の文脈を超えて、アフリカの諸社会にどこまで妥当するのか考えてみる必要があるだろう。というのも二一世紀初頭までの世界においてアフリカの国家は、その多くが「失敗国家」だと認識されていた。失敗国家とは、国家が暴力の独占に失敗し、国内に深刻な紛争や犯罪を抱えている国家、および統治の根幹である官僚制が機能しておらず、公正で効率的なガバナンスの実現に失敗している国家を指す。アフリカにおいては、国家こそが危険と収奪、汚職と不正の根源であるという考え方は、いわば世界の常識であったし、その常識からすれば、アフリカのどこかの国家が国民の生活保障にコミットメントを示し、広範な配分の政治に踏み出したとしても、それは特殊な事例だということになってしまう。

だがアフリカにおける政治社会の現実は、ここ十数年の間に大きな変容を遂げた。その最もわかりやすい事例として、エチオピアとルワンダを挙げることができる。エチオピアは一九八四年を極点とする飢饉の歴史において、またルワンダは一九九四年を極点とする殺戮の歴史において、広範なガバナンスの失敗を体現した国家であったが、二〇一〇年代には国家が主導する広範な開発政策によって知られるようになった。さらに重要なことは、アフリカのさまざまな場所において、人々と国家組織との間に統治のモラリティをめぐる交渉がおこなわれ、その場その場で機能する政治社会の成立を促している事例が観察されることである［岡野 二〇一九、松本 二〇一九］。その背景には、ポスト植民地社会の紛争経験を共有する人々が、統治のモラリティや安全の価値をどう産出し、安全な関係性をどう実践するかという問題に並々ならぬ関心を払っている、アフリカの現在の状況があると筆者は考えている［西 二〇一九］。言い換えれば、現在のアフリカの政治社会において広い意味での安全の配分は、国家と国民双方にとって重大な関心事となっている。その文脈から捉えたとき、南アフリカ共和国やナミビアにおける広範な現金給付は、決して特殊な事例ではないように思われる。

2　現金給付と新しい配分の政治

南アフリカ共和国には、非拠出年金制度（保険金ではなく租税を原資とした年金制度）の長い歴史がある。したがって、ファーガソンが「新しい」配分の政治ということばを使うのは、南部アフリカ諸国における現金給付制度の歴史が浅いことを指しているのではない。彼の議論が指し示すのは、南部アフリカ社会の現在の政治状況において、現金給付の正当性がかつてないほど高まっているという点である。アパルトヘイトが終焉したあとの南アフリカ共和国に出現したのは、黒人が政治的には包摂されながら、その大多数は引き続き経済的に排除されている状況であった。旧黒人居留地における農村経済の破綻はますます深刻になる一方、アフリカ民族会議（ＡＮＣ）政権の経済政策は、雇用創出に失敗してきた。このような状況が、就労を前提としない配分の政治を必要としているというのがファーガソンの主張である。

ファーガソンによれば、南部アフリカ諸国における現金給付プログラムは、従来の福祉国家の常識からみて「進歩的な」特徴を備えている。第一にそれは、就労に紐づけられていない給付である。少数の労働者によって膨大な生産活動がおこなわれるようになった今日の世界において雇用はますます希少となっており、就労を条件とした福祉制度はその是非を問う以前に、もはや現実的ではない。もちろんこれは、南部アフリカに限った問題ではないだろう。雇用の絶対的な不足という事態は、南部アフリカ社会においてとりわけ先鋭的に現れているものの、現在の世界に共通する問題である。

ファーガソンが着目する第二の特徴は、家族制に紐づけられていない給付である。例えば南アフリカ共和国においては、児童扶養手当の受給者が婚姻関係を問われることはないし、被扶養者との家族関係さえ問われることはない。必要なのは、受給者が子どもの主要なケア提供者（primary caregiver）として認定されることだけである。もちろんこのような給付は、実際の婚姻関係に大きな影響を与えずにいないだろう。ファーガソンによれば、現在の南アフリカ共和国において結婚という習慣は「根本的に消滅しつつある」。貧しい労働者階級の女性の多くは児童扶養手当を受給しており、「就労していない男性を家庭に招き入れることで得るものはほとんどない」ためである［Ferguson 2015: 82］。

アフリカの社会保障に関する従来の議論は多くの場合、農村においては「伝統的な」拡大家族が相互扶助の基盤を提供し、他方で都市においては「近代的な」核家族が形成されることを議論の前提としてきた。だがファーガソンは、それは「家族主義の幻想」に過ぎないと述べる［Ferguson 2015: 78］。ジョン・アイリフがいうように、そもそもすべての家族がすべての成員に対して常に必要な援助をおこなってきたわけではなく、家族のセーフティネットからこぼれ落ちる者がいることは、決して新しい現象ではない［Iliffe 1987: 213］。農村の拡大家族であれ都市の核家族であれ、家族制への参加を配分の前提とすることは、社会で最も孤立し困窮した者を排除する効果をもたらしかねないのである。

3　新しい統治のテクノロジー

ファーガソンの議論はたいへん説得力があるものだが、ここで注意を向けたいのは、新しい配分の政治が、どのような統治のテクノロジーと結びついているかという問題である。現在のアフリカにおいて新しい給付制度が急速に拡大している背景には、それを可能にするテクノロジーの存在を見逃すことはできない。北の国家が築き上げてきた従来の福祉レジームは、就労や家族の実態を捕捉するための膨大な事務手続きを処理できる、高度な官僚制の存在が前提であった。しかし就労や家族と切り離された現金給付は、官僚制を迂回するテクノロジーの導入を容易にする。例えば生体認証の技術を用いれば、政府は基本所得手当の受給者がその月の手当をATMから引き出したこと、そして一回しか引き出していないことを簡単に把握できる。このような技術を前提とすれば、ひとりひとりの市民について、彼が何歳で、誰がどの世帯に属しており、その世帯の所得がいくらで、誰が誰の子なのかといったことを余すことなく把握している政府はもはや不要ではないかとファーガソンは示唆している［Ferguson 2015: 83］。

問題は、新しい配分の政治とそれを支えるテクノロジーが、ひとりひとりの生を豊かにするような社会変革の条件となるのか、それとも既存の体制にからめとられて、抑圧的あるいは差別的な社会構造を再生産してしまうのかということであろう。そもそも北の世界における従来の福祉レジームで、就労と家族関係とが社会保障の条件とされた背景には、そのことによって福祉レジーム全体が、社会の生産および再生産に「有用」と見なされる者とそうでないものを選別する装置として有効に機能していたという現実があった。したがって新しい配分の政治が、ある種の選別装置の働きを無効にするという議論は説得力がある。だが同時に、新しい配分の政治が別のかたちで抑圧的な社会構造にコミットしてしまう可能性も考えておく必要がある。

ここで、南アフリカ共和国における現金給付プログラムの現状に批判的な議論を紹介したい。牧野久美子[二〇一二]は、南アフリカ共和国の高齢者手当が、実際には世帯全体で共有される強い傾向があることに注目している。意外なことであるが、同国ではアパルトヘイトの廃止以前から黒人高齢者を対象とする非拠出年金の制度が存在した。アパルトヘイト下の黒人居留地は過剰な労働力を抱え、すでに失業が深刻な問題となっており、年金が世帯で唯一の収入源となることも少なくなかったという。そして民主化後の南アフリカ社会にも、高齢者手当を世帯員で分け合う傾向が受け継がれた。このことは一方で、高齢者と同居する家族、とりわけ子どもの貧困軽減に貢献している。しかし他方で牧野は、南アフリカの現金給付を全体としてみると、依然として失業者の生活を保障する給付制度が欠落していることを指摘する。失業者や貧困者一般を対象とした公的扶助はなく、失業保険制度はあるものの、そもそもフォーマルな雇用に就いたことのない者が多数を占める社会において、失業保険は限定的な役割しか果たしていない。高齢者手当は高齢者の貧困を緩和するという本来の目的から外れて、大量失業およびそれに対する社会保障の不在から「目をそらす」役割を負わされているのではないかというのが牧野の見解である。

　牧野の指摘する問題は、南アフリカ共和国における新しい配分の政治が「未完成」であることに由来するものだと理解することもできる。同国で繰り返し議論されながら導入が見送られてきた基本所得手当（年齢や健康状態などに関係なく、すべての国民に無条件に支給される現金給付）が実現すれば、高齢者手当の役割の歪みは一挙に解消する可能性もある。だが他方で、南アフリカ共和国における高齢者手当の配分問題が指し示すのは、いかなる配分の仕組みも国家の歴史や社会の現在的な状況と切り離して作動することはないという事実であるようにも思われる。例えば家族を前提としない配分の仕組みをつくったとしても、その社会が歴史的に抱える家族の問題から、新しい配分の政治が自由になるわけではない。新しい制度やテクノロジーが人々の生活をどう変えるのかという問題について検討するときには、常にこのことを念頭に置く必要があるだろう。

ファーガソンは上述の通り、南部アフリカ諸国の現金給付プログラムに好意的な議論を展開しているが、中心的な論点は国家の配分プログラムそのものというより、それを取り囲む社会の文脈を明らかにすることにある。南部アフリカ社会の人々はすでに、多様な社会関係に沿って限られた所得を分け合いながら生活しているのであって[1]、国家の財政から人々の手に渡る給付も、そこにある現実の社会生活の中に挿入されることになるからである[Ferguson 2015: 116]。そのことを確認したうえで、次の節ではＨＩＶ感染症対策を中心とする健康統治のテクノロジーの展開が、アフリカにおいてＨＩＶ陽性者の生のあり方にどのような影響を与えたかという問題について検討したい。

三　ＨＩＶ流行と健康統治のテクノロジー

1　アフリカにおける抗ＨＩＶ治療の展開

二〇一七年の時点で、サハラ以南のアフリカ諸国では二五七〇万人のＨＩＶ陽性者が生活している。アフリカでは現在、国民に無償あるいは低価格で抗ＨＩＶ治療を提供するさまざまなプログラムが実施されており、アフリカで生活するＨＩＶ陽性者の六〇％にあたる一五六〇万人が治療を受けていると推定される[2]。各国の治療プログラムに対しては、世界エイズ・結核・マラリア対策基金（通称グローバルファンド）をはじめ、国際的な資金供与の枠組みが成立しており、アフリカ諸国はその資金によって、インドなどで製造された安価な抗ＨＩＶ治療薬を購入している（写真1）。

上述のようなグローバル規模の抗ＨＩＶ治療の枠組みが成立したのは、二一世紀に入ってからのことである。アフリカでＨＩＶの新規感染が最も多かったのは一九九〇年代のことだが、当時のアフリカでは、公的医療部門が提供する抗ＨＩＶ治療は皆無に近かった。ＮＧＯのプログラムや非正規のネットワークを通して、限られた数の患者に限られた量の治療薬が提供されるのみであった。このような状況が生じたのには幾つかの要因がある。第一に一九九〇年代当時の抗ＨＩＶ薬は高価すぎた。安価なジェネリック薬の生産・流通を容認する国際法上の枠組みが成立したのは、二一世紀初頭のことである。第二にＷＨＯが主導する国際保健行政は、新たに開発された医薬品に対して冷淡であった。最先端の治療薬である抗ＨＩＶ薬は当時、ＷＨＯの必須医薬品リストに収載されていなかった。第三に医療専門家の中には、アフリカで抗ＨＩＶ治療を展開することに消極的な者が少なくなかった。アフリカのように医療インフラが未整備の場所に大量の抗ＨＩＶ薬を供給したときに何が起こるのか、当時はだれも知らなかったのである。

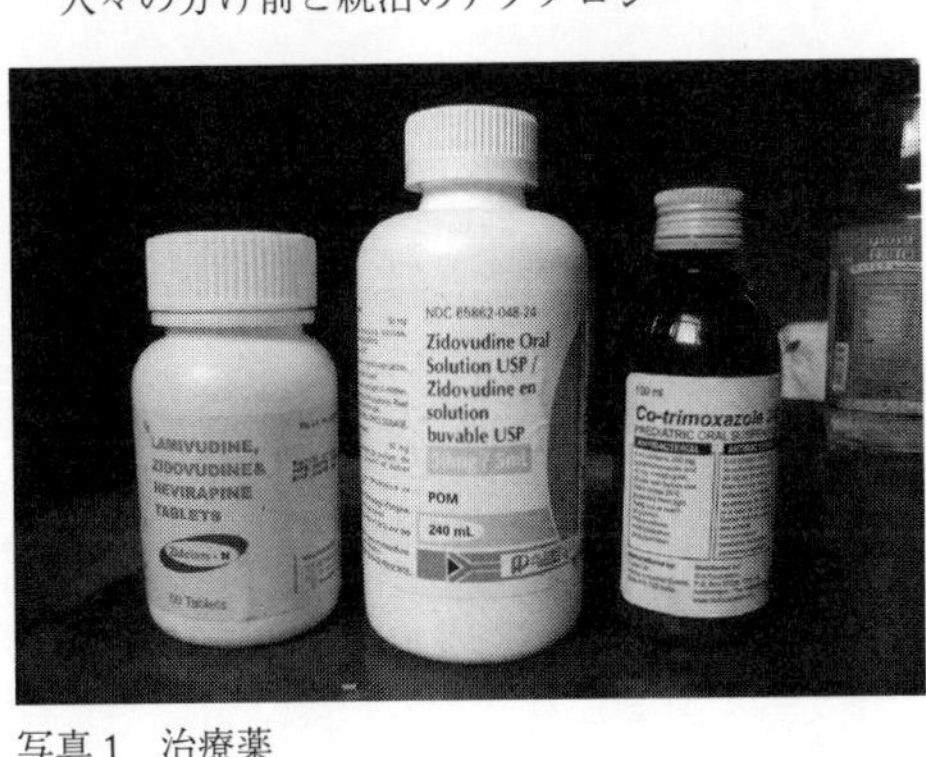

写真１　治療薬

２　必須医薬品リストの問題

第一の点についてはすでに詳細な報告があるので［新山 二〇一二］、以下では第二、第三の点について検討したい。まず国際保健行政上の問題は、いわゆる必須医薬品の制定過程に関係している。ＷＨＯは基礎保健（プライマリ・ヘルスケア）を重視する立場から、すべての加盟国の国民に提供されるべき必須医薬品のリストを制定している。最初のリストが採択されたのは一九七七年のことであるが、当時のＷＨＯ加盟国、とりわけ非同盟諸国の間では、国際保健行政への国際製薬企業の影響力に対する警戒が強まっていた。結果として必須医薬品のリストには、新しい医薬品よりも効果が実証された古い医薬品、高価なブランド薬よりも安価なジェネリック薬が優先的に収載されたのである。(3)

このリストが事実上、途上国の公的医療部門における新薬の供給を阻害するのではないかという懸念を表明する専門家もいたが［Lasagna 1980］、その矛盾が先鋭的なかたちで露呈したのは一九九〇年代、効果的な抗ＨＩＶ薬を高所得国のＨＩＶ陽性者が服用し、健康を取り戻し始めていたのに対して、低中所得国の国民にとってはＨＩＶ感染が、依然として死の宣告に等しい状況が明らかになったときであった。国境なき医師団など、当時の世界で低所得国の人々に抗ＨＩＶ薬を届けるキャンペーンを主導したＮＧＯは、必須医薬品リストはＨＩＶ流行下の人々にとって単なる「茶番」になる瀬戸際にあると訴えた［Greene 2011: 23］。

3　健康統治のテクノロジーとその効果

アフリカ諸国に抗ＨＩＶ治療を届ける社会運動に関与してきた人々にとって、運動の転換点としてよく知られているのは二〇〇一年、ドーハで開催された世界貿易機関（ＷＴＯ）閣僚会議において「ＴＲＩＰＳ協定と公衆衛生に関する宣言」が採択されたことである。(4) この宣言によりＷＴＯ加盟国は、公衆衛生上の緊急事態に際して新薬の特許権（知的所有権）を制限できることになった。インドやブラジルに拠点を置く製薬企業が、低中所得国向けに安価な抗ＨＩＶ薬を製造し輸出することが事実上容認され、アフリカを含む南の世界において一挙に抗ＨＩＶ治療が普及することになる。

ただしその時点に至っても、感染症疫学の専門家の間ではなお、アフリカにおける抗ＨＩＶ治療の展開に慎重な意見が大半を占めていた。アフリカのように医療人材が圧倒的に不足しており、適切な医療施設が限られた場所で抗ＨＩＶ薬を大量に使用すると、無秩序な投薬がはびこるだろうと思われたためである。最悪の場合、アフリカで出現した耐性ウイルスが高所得国にまで蔓延し、せっかく軌道に乗り始めた抗ＨＩＶ治療を混乱させることが予想されたのである。ところが実際にアフリカで抗ＨＩＶ薬の供給が始まると、そうしたリスクよりも公衆衛生上の効果の大きさに注目が集まるようになった。治療によって患者自身の健康が回復するだけではなく、抗ＨＩＶ薬の普及が新規感染を抑制し、さらにはＨＩＶ流行の収束をもたらす可能性が、アフリカでの治療実績から得られたデータによって示されたためである［西二〇一七：六五五―六五六］。

以上のような議論をへて、グローバルなＨＩＶ介入の関心は現在、抗ＨＩＶ薬の効果を最大限に引き出すことによって、限られた資金でいかに速やかにＨＩＶ流行を終わらせるかという点に置かれている。それをわかりやすいかたちで提示したのが、九〇―九〇―九〇（トリプル・ナインティ）として知られる介入目標である。これは二〇二〇年までに、世界でＨＩＶに感染した人たちのうち、九〇％がＨＩＶ検査を受けて感染の事実を（自らがＨＩＶ陽性であることを）知り、そのうち九〇％がＨＩＶ治療を受けており、さらにその九〇％でウイルス量が抑制されているという状況を達成するというものである。「ウイルス量が抑制されている」というのは、血中のウイルス量が検出限界以下にまで抑制されており、性交渉の相手にウイルスが感染するリスクは無視できる（negligible）ということを示している[5]。

九〇―九〇―九〇目標では、ＨＩＶ陽性であることを知っている九〇％のうちの九〇％が治療を受けるという設定であるから、ＨＩＶ陽性者人口の八一％が治療を受けていれば目標が達成されたことになる点に注意して頂きたい。同様にウイルス抑制については、ＨＩＶ陽性者人口の七二％が到達することが目標となる。九〇―九〇―九〇目標の本質は、ＨＩＶ流行を早期に収束させるために必要な条件をわかりやすく提示することにある。それは別の言い方をすれば、健康統治のテクノロジーを根拠とする政策目標である。そしてそれは規範的な目標、例えば（いつ達成できるかはさておき）「すべての人にＨＩＶ治療へのアクセスを保障する」というような目標とは別に設定されたものと考えることができる。

九〇―九〇―九〇目標と規範的な目標との違いが最も端的に現れるのは、例外に対する態度である。技術的な目標においては、その目標の達成が技術的に可能となる範囲において、例外（検査を受けていない者、治療を受けていない者、ウイルス抑制を達成していない者）の存在が容認される。そこで考えてみたいのは、HIV流行収束の技術的条件としての九〇—九〇—九〇目標が、実際のHIV介入過程にどのような効果をもたらすのかという問いである。というのも例外を認めることは、一方で「リベラルな」介入につながるように思われるが、同時にそれは、例外とされた者に対する規範的な責任を放棄することであるように思えるからである。

まずは、例外を認めることがどのように「リベラル」な介入に結びつくかを考えてみよう。実はUNAIDSは、過去に新規感染を「ゼロ」にするという極めて規範的な目標を掲げたことがある。これを文字どおりに実現しようとすれば、国家はすべての国民がHIV検査を受けるよう要求する——あるいは強制することを検討せねばならないだろう。HIV介入の文脈において個々の市民が検査を受けない選択をする余地を残しておくことは、リベラルな世界の条件であるように思われる。またどのような社会においても、治療を勝手に中止してしまったり、適切に服薬しない患者は一定の割合で現れるものであるが、新規感染につながる治療の失敗を「ゼロ」にするためには、強制入院のような措置を検討せねばならなくなる。一定の範囲で治療に失敗する余地を容認することは事実上、患者の身体の自由を保障することと関係しているのである。

4　例外とされた者への責任

しかし他方で、HIV介入に責任ある立場の人たちが「九〇—九〇—九〇目標さえ達成されれば、例外にあたる人たちがどんな状況に置かれていようが知ったことではない」という態度をとるならば、問題の性質は全く異なってくる。彼らは技術的な目標に集中することで、例外にあたる人たちへの規範的な責任を免除されることになるからである。ここで九〇—九〇—九〇目標が、それ自体の性質としてリベラルな世界を保障するものなのか、それとも例外とされた者を社会の外側に遺棄する酷薄な世界へと導くのかを問うてみても無意味であろう。ここで問われねばならないのは、ある健康統治のテクノロジーが、特定の社会の文脈に置かれたとき、さまざまな人生に対してどのような効果をもたらすのかということである。

その問いについて検討するための事例は現在、アフリカの至るところに見いだすことができる。[6] ここではエチオピア政府のＨＩＶ介入を例に挙げてみよう。同国では二〇〇五年から現在に至るまで、政府がすべての国民を対象として無償の抗ＨＩＶ治療を提供するプログラムを実施している。治療薬は、主に政府のヘルスセンターを通じて配布される（写真2）。筆者は二〇一三年に、同国南部州の地方都市で活動するファナ協会という名称のＨＩＶ陽性者団体の協力を得て、メンバーの生活状況に関するアンケート調査を実施したことがある（写真3）。その調査からは、回答者の多くが極めて困窮した生活をしているという結果と同時に、回答者のほとんどが抗ＨＩＶ薬をきちんと服用しているという結果が得られた。[7] この回答は一方では、無償の抗ＨＩＶプログラムの素晴らしい成果を示している。つまりエチオピアでは、最も困窮した人たちでさえ無償の抗ＨＩＶ治療を受けることができる。だが同時にそれは、抗ＨＩＶ薬をきちんと服用していても経済的な困窮から抜け出すことが困難な人たちがいることを示してもいる。

写真２　ヘルスセンターの外観

写真３　地方都市の景観

その背景にある問題は一様ではないが、アンケート調査からは、回答者の多くが社会的に孤立していたり、ＨＩＶ感染症以外の疾患を抱えていることが見てとれた。

翌二〇一四年三月八日、ファナ協会が県政府のＨＩＶ担当者を招いて実施した会合に筆者も参加する機会があった。ファナ協会のメンバーは担当者に対して、政府のヘルスセンター職員がＨＩＶ陽性者を不当に扱う例が後を絶たないことを訴えた。また生活困窮者が市内に住居を確保するための土地を政府が提供することを求めた。その背景には当時、民間の賃貸住宅の家賃が急激に上昇し、市内から離れた農家などから小屋を借りて生活するメンバーが増えていた状況がある。市内から離れることは、医療サービスや雇用といった生活基盤へのアクセスが困難になり、生活の困窮が深まることを意味したのである。この要求に対して、会合に参加した政府のＨＩＶ担当者のひとりは、政府が無償で治療を提供していることをＨＩＶ陽性者は忘れてはいけないと応じた。そしてＨＩＶ陽性者に求められているのは、ＨＩＶから社会を防衛する取り組みに参加することだと述べた。ヘルスセンターへの不満には根拠がなく、土地の要求は応じられないというのが彼の立場であった。つまり彼は、無償の抗ＨＩＶ治療を提供する以上の一切の責任を負わないことを、ファナ協会のメンバーたちに明言したのである。

エチオピア政府にとって、治療を受けながら生活の再建を達成できないでいる者は、抗ＨＩＶ治療プログラムにおける例外に他ならない。ただしそれは、九〇—九〇—九〇目標に予め織り込まれた例外にさえ位置づけられない例外であろう。九〇—九〇—九〇目標における例外とは、あくまで検査や治療の失敗という例外であったが、ここで問題になっているのは生活再建の失敗である。エチオピアで抗ＨＩＶ治療を受ける者は二〇一七年の時点で四四万人、これは同国で検査の結果、ＨＩＶ陽性であることがわかっている人たちのうち実に九五％にのぼる。他方でエチオピアでは近年、ＨＩＶ陽性者の訪問ケアや就労促進など、生活への介入を目的とした資金が削減される傾向が続いている［西 二〇一七：六六三］。エチオピアの抗ＨＩＶ治療プログラムにおいて、治療を受けながら生活再建を達成できない者は、もはやその存在すら認識されなくなりつつある。

四　この自由な世界で

ケン・ローチ監督は『この自由な世界で』と題された二〇〇八年の作品で、よりましな生活を手に入れようとして不法移民の斡旋をはじめてしまう英国人のシングル・マザーを描いた。だれかが富を得るために別のだれかを踏み台にする世界は、自由主義経済の「本来の」あり方ではないと反論する人もいるだろう。自由な経済活動は本来は、そこに参加する者すべてに利益をもたらすはずである。だが自由な経済活動の本来の姿が何であれ、現実の社会にはシングル・マザーに貧困を押しつける構造があり、移民を弱い立場に置くシチズンシップの制度がある。

本章では、現金給付や抗ＨＩＶ治療を例にとり、アフリカにおける配分の政治と統治のテクノロジーの展開が人々の生活や社会関係に与える影響について考えた。二一世紀初頭のアフリカにおけるＨＩＶ介入は、抗ＨＩＶ薬という素晴らしい生産物の分け前を所得の低い国の人々に届けることを可能にしたという点で画期的な出来事であった。アフリカにおける抗ＨＩＶ治療や現金給付の展開は、ファーガソンのいう新しい配分の政治の究極の姿、つまり人類のだれもがグローバルな生産物の総体に対する分け前を受け取ることのできる世界に向けたマイルストーンなのだろうか。

しかし本章で検討したように、配分の政治はそれを実施するための統治のテクノロジーを必要とする。第三節で検討した九〇―九〇―九〇目標が体現している健康統治のテクノロジーは、検査を受けない選択も治療の失敗も（一定の範囲であれば）許容するという点でリベラルな性格を有している。それはもちろん、多様な価値のために生きる人々を包摂する社会で作動する統治のテクノロジーが備えているべき性格である。だが同時に、社会の主流を占める人たちは、統治のテクノロジーがつくりだす例外への責任を意図的に、あるいは知らないうちに考えないようになるかもしれない。エチオピアの抗ＨＩＶ治療プログラムは、すべての国民に無償で供与されるものであり、そこでは国民の間に、いかなる制度的な排除も意図されていないようにみえる。しかし実際にそこに出現しているのは、技術的な目標に集中することで、例外にあたる人たちへの規範的な責任を免除された介入なのである。

注

（1）ファーガソンは南部アフリカで生活する人々の多様な配分活動（distributive practices）がおこなわれる社会の領域を、土地と土地保有（land and landholding）、親族と分配（kinship and sharing）、移住と移動（migration and movement）、労働とビジネス（labor and business）、性と愛（sex and love）、死と葬儀（death and funeral）の六つに整理して説明している（Ferguson 2015: 104）。

（2）国連合同エイズ計画（ＵＮＡＩＤＳ）のウェブデータベース（AIDSinfo　二〇一九年三月二一日閲覧、http://aidsinfo.unaids.org/）による。本章では以下、特に断りのない限りＨＩＶ感染症に関する数字は同じデータベースを出典とする。また本章で（サハラ以南の）アフリカ諸国の数値として示すのは、ＵＮＡＩＤＳの統計で「東部および南部アフリカ」および「西部および中部アフリカ」に分類される領域の数値を足し合わせたものである。

（3）ただし、無数の医薬品の中から「必須の」医薬品を選定する作業は困難を極めた。医療史家のジェレミー・グリーンによれば、リストの決定は少数の専門家の手にゆだねられ、その過程や基準は必ずしも明確ではなかった［Greene 2011］。

（4）WTO "Declaration on the TRIPS Agreement and Public Health," WT/MIN(01)/DEC/2, November 20, 2001. なおＴＲＩＰＳ協定の正式な名称は「知的所有権の貿易関連の側面に関する協定」（Agreement on Trade-Related Aspects of Intellectual Property Rights）である。

（5）ここで「無視できる」という用語が公衆衛生上、どのような意味を有するのかは依然として議論があるものの、その背景にあるのは、近年の大規模研究においてウイルス抑制を達成しているＨＩＶ陽性者から性交渉のパートナーへの感染は一例も報告されていないという経験的な事実である［UNAIDS 2018］。これを受けて近年では、Undetectable=Untransmittable（検出限界以下なら感染しない）ことを宣言し、ＨＩＶ陽性者の治療やケア、社会参加の妨げとなるスティグマや恐れを取り除くＵ＝Ｕキャンペーンが世界的に実施されるようになった。日本エイズ学会も二〇一八年にＵ＝Ｕへの支持を表明している（日本エイズ学会、二〇一九年三月二七日閲覧、https://jaids.jp/news/「uu キャンペーン」支持について／）

（6）例えば、ウガンダにおいてＨＩＶ治療を受けながら生きる人々が直面する困難や、その人生の不確実さを描いたスティーブン・ラッセルら［Russell and Seeley 2010］およびスーザン・ホワイトら［Whyte ed. 2014］の研究を参照。

（7）このアンケートの結果については西［二〇一七：六六二］も参照。

参考文献

《日本語文献》

岡野英之
二〇一九「民主的で官僚的なパトロン＝クライアント関係――内戦後シエラレオネにおけるバイクタクシー業と交通秩序」『文化人類学』八四（一）：一九―三八。

新山智基
二〇一一『世界を動かしたアフリカのＨＩＶ陽性者運動――生存の視座から』生活書院。

西　真如
二〇一七「公衆衛生の知識と治療のシチズンシップ――ＨＩＶ流行下のエチオピア社会を生きる」『文化人類学』八一（四）：六五一―六六九。
二〇一九「序――国家と統治の人類学（特集 国家と統治の人類学）」『文化人類学』八四（一）：五―一八。

牧野久美子
二〇一一「アフリカに広がる現金給付プログラム――短期的セーフティネットから中長期的開発へ」『アジ研ワールド・トレンド』一八五：一六―一九。

松本尚之
二〇一九「政治参加の公平性をめぐる期待と実践――ナイジェリア・イボ社会における伝統的権威者選びと民主主義」『文化人類学』八四（一）：三九―五七。

《外国語文献》

Ferguson, James
2015 *Give a Man a Fish: Reflections on the New Politics of Distribution*. The Lewis Henry Morgan Lectures. Duke University

Press.

Greene, Jeremy A

2011 "Making Medicines Essential: The Emergent Centrality of Pharmaceuticals in Global Health." *BioSocieties* 6 (1): 10–33.

Iliffe, John

1987 *The African Poor: A History. African Studies Series*. Cambridge Cambridgeshire ; New York: Cambridge University Press.

Lasagna, Louis

1980 "The World Health Organization List of 'Essential Drugs.'" *Annals of Internal Medicine* 93 (2): 368–69.

Russell, Steven, and Janet Seeley

2010 "The Transition to Living with HIV as a Chronic Condition in Rural Uganda: Working to Create Order and Control When on Antiretroviral Therapy." *Social Science and Medicine* 70 (3): 375–82.

UNAIDS

2018 "Undetectable = Untransmittable: Public Health and HIV Viral Load Suppression."

Whyte, Susan Reynolds, ed

2014 *Second Chances: Surviving AIDS in Uganda*. Durham: Duke University Press.

タンザニア農村部の一次医療施設に働くヘルスワーカーの動機づけ

佐藤美穂／デオグラティアス・マウフィ

一　はじめに

本章では農村部の政府保健医療施設（保健センター、診療所）で勤務するヘルスワーカーの動機付けについて、著者らが実施した調査結果を基に紹介する。本題に入る前に簡単なタンザニアの概況を説明する。

タンザニアと聞いて[(1)]読者は何を連想するだろうか。動物好きの読者であればセレンゲティ国立公園、ンゴロンゴロ保全地域、山に詳しい読者であればアフリカ最高峰のキリマンジャロ山（五八九五メートル）、そしてこの名峰のふもとで栽培されるコーヒーなどであろうか。前述の国立公園を含めタンザニアからは七つの世界遺産が登録されている。[(2)]

タンザニアはインド洋に面したアフリカ東部の国で、北から時計と反対周りにケニア、ウガンダ、コンゴ民主共和国、ルワンダ、ブルンジ、ザンビア、マラウィ、モザンビークの八か国と国境を接し（図1）、その国土面積は日本の約二・五倍におよぶが、人口は二〇一九年の推計値で約五八〇〇万人である［World Bank 2020］。ちなみに二〇一八年推計の一平方キロメートル当たりの人口密度は日本は三四七・〇七三であったがタンザニアの人口密度

図1　タンザニアの地図
出典：タンザニア大使館ホームページ
http://www.tanzaniaembassy.or.jp/Japanese/About_Tanzania_Japanese/geography_jpn.html（最終閲覧日 2018 年 7 月 12 日）

は六三・五七九であった。

この広い土地に住む約六〇〇〇万人の人々は約一三〇もの民族集団に属し、そのおよそ九割はバンツー系の民族によって占められている。それぞれの民族は独自の言語を持つが、タンザニアの特徴は国のどこに行ってもスワヒリ語が公用語として使われていることである。

二〇一九年のタンザニア人の推定平均余命は六五・四六歳（女性が六七・二三歳、男性が六三・六四歳）であった［World Bank 2020］。

米国ワシントン大学の保健指標評価研究所（Institute for Health Metrics and Evaluation：IHME）によると、二〇一九年時点のタンザニア国民の上位一〇位の死因は表1に示す通りである。表1に見られるように、二〇〇九年の三つであった非感染症疾患が二〇一九年には一つ増えて上位一〇位に四つの非感染症疾患が現れるようになり、特に脳卒中と虚血性心疾患は一〇年の間にそれぞれ三つずつ順位を上げている。

タンザニアの地方行政は、村（Village）、区（Ward）、郡（Division）、県（District）、州（Region）というように区分されている。

表1　2019年の上位10位の死因と2009年に比べての順位の変化

2009			2019		
1	HIV／エイズ		1	新生児障害	
2	新生児障害		2	下気道感染	
3	下気道感染		3	HIV／エイズ	
4	結核		4	脳卒中	●
5	下痢症		5	結核	
6	マラリア		6	虚血性心疾患	●
7	脳卒中	●	7	マラリア	
8	先天異常	●	8	下痢症	
9	虚血性心疾患	●	9	先天異常	●
10	タンパク・エネルギー栄養失調症		10	肝硬変	●

出典：ワシントン大学保健指標評価研究所（Institute for Health Metrics and Evaluation、IHME）ホームページ。http://www.healthdata.org/tanzania（最終閲覧日　2021年10月13日）注：●は非感染症疾患、それ以外は感染症、母子保健、栄養に関する疾患を表す（和訳は著者による）。

タンザニア政府が二〇〇七年に策定したプライマリヘルスサービス開発プログラム[3]（二〇〇七―二〇一七）では、各村に診療所（Dispensary）、各区に保健センター、各県に県病院に設置することを掲げた。これらの政府系保健医療施設の運営に必要な定員については、二〇一四年にタンザニア保健省が表2のように定めた［United Republic of Tanzania Ministry of Health and Social Welfare 2015］。タンザニアの保健システムの草の根レベルの施設となるのが診療所で、職員の定員は一五名から二〇名であり、その長は臨床医学を三年修めたクリニカル・オフィサーが務める。診療所には入院施設がなく、管轄区域の住民を対象に、母子保健、地域保健のサービスを提供する。一方、保健センターには三九から五二名の職員を擁し、その長は医師である。管轄区域住民に外来、入院による医療サービスを提供するため、その施設も外来病棟、男女別のそれぞれ二四床の病棟、産科手術室、診断サービス等が整備されることとなっている［United Republic of Tanzania Ministry of Health and Social Welfare 2015］。参考までに保健省によって定められた診療所と保健センターにおいて必要な保健医療従事者の職種と人数（七九頁の表3、表4）に示し、さらに表5（八一頁）では保健医療従事者の専門教育年数と資格証明書を記した。

保健人材については、タンザニア保健省が二〇一四年に発表し

表2　一次医療機関（診療所・保健センター）の特徴

	診療所	保健センター
職員定員と施設長	15 ～ 20 名、クリニカル･オフィサー（臨床医学を 3 年修めた者）	39 ～ 52 名、医師
提供するサービス	管轄区域の住民に外来、母子保健、地域保健等のサービスを提供	管轄区域の住民に、外来、入院医療サービスを提供
施設・設備	診察台（ベッド）2 台、分娩用ベッド 1、2 台	外来病棟、母子保健サービス、24 床病棟（男女それぞれ）、産科手術室、診断サービス、霊安室、焼却炉

出典：Ministry of Health and Social Welfare (2015) Staffing Levels for Ministry of Health and Social Welfare Departments, Health Service Facilities, Health Training Institutions, and Agencies 2014-2018. 3-6 ページを基に著者が訳した.

た保健社会福祉人材戦略計画(4)によると、二〇一三年の時点での政府系保健医療施設の総数は六八七六であり、その内訳は、図2に示すように、診療所が五九一三、保健センターが七一一、県病院が二一九、州リファラル病院が二五、そして国立・特殊病院が八であった［United Republic of Tanzania Ministry of Health and Social Welfare 2014］。保健省によると、これらの保健医療施設を運営するのに最低限必要な保健医療人材の数は一四万五四五四人であるが、実働の保健医療従事者は六万三四四七人であるため、全体に必要な保健人材の五六・三八％にあたる八万二〇〇七人が不足している、と報告した［United Republic of Tanzania Ministry of Health and Social Welfare 2014］。

保健医療人材不足は、本稿で取り上げるタンザニアに特有の問題ではない。ポソ・マルティンらは全世界の母親と子どもの死亡の九五％を占める七五か国について保健人材に関する次の二つの指標に関してこれらの国々を分類した［Pozo-Martin et al. 2017］。指標の一つは人口一万人当たりの医師、看護師、助産師が二二・八人という、世界保健機構（World Health Organization：WHO）が二〇〇六年に発表した基準値である。もう一つは「持続可能な開発目標（Sustainable Development Goals：SDGs）」の保健分野のターゲットを達成するために必要であるとされる、人口一万人当たりの医師、看護師、助産師が四四・五人のSDG指標基準値である。データが入手可能な七四か国のうち、全体の七四％に該当する五五か国において、人口一万人当たりの医師、看護師、助産師が二二・八人以下であった。

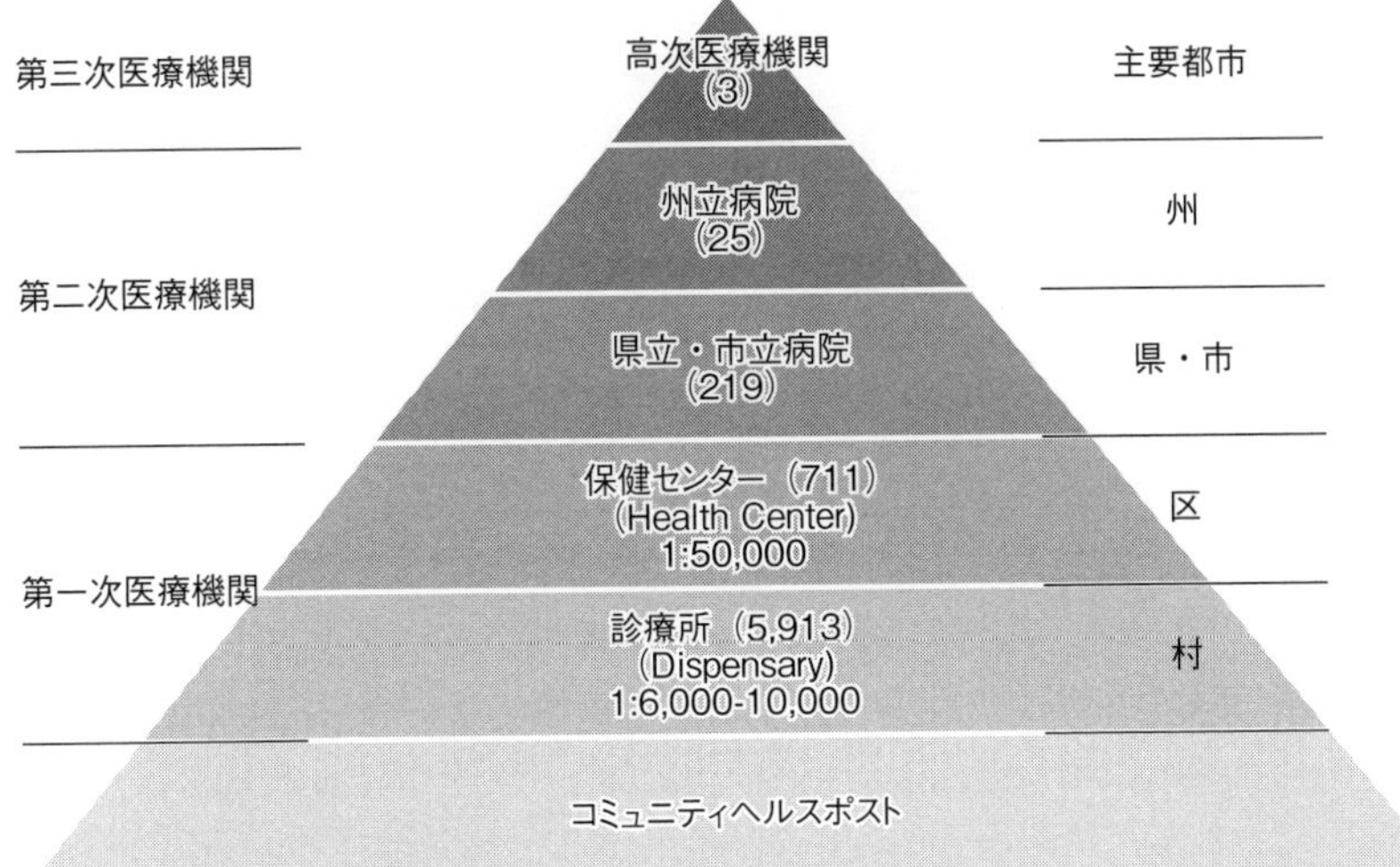

図 2　タンザニアの保健システム（2013 年時点）
参 考 Ministry of Health and Social Welfare (2014) Human Resource for Health and Social Welfare Strategic Plan 2014–2019. 12 ページ.

タンザニアもこの五五か国のひとつである［Pozo-Martin et al. 2017］。

このような保健医療人材不足の中で日々保健医療サービスを提供する保健医療従事者、とくに低、中所得国における保健医療従事者の動機付けについてこれまで多くの研究が進められてきた。要点としてわかっていることは、保健医療従事者の動機付けの中核は金銭的インセンティブ、キャリア開発、人事管理を含むマネジメントである［Willis-Shattuck et al. 2008］。病院に勤務する保健医療従事者を対象に実施した研究からは、保健医療従事者の低い動機づけが低賃金、医療用品・器具不足、人事評価の欠如、コミュニケーション不足、意思決定に参加できないことと関連していることがわかっている［Leshabari, Muhondwa, Mwangu, & Mbembati 2008; Manongi, Marchant, & Bygbjerg 2006; Willis-Shattuck et al. 2008］。一方、保健人材は保健システムの構成要素のひとつであり、保健システムが機能するために十分に動機付けされた保健人材が必要不可欠であることは理解されているが、農村部の保健医療従事者の職場環境を改善しようとする努力は、期待通りの進展を見せていない［Hongoro & McPake 2004; Narasimhan et al. 2004; The Africa Working Group of the Joint Learning Initiative on Human Resources for Health and Development 2006; World Health Organization 2006］。

低、中所得国の保健医療従事者の動機付けに関する研究の多くは県、あるいは首都圏の病院において実施されたものが多かったため、著者の研究チームは、タンザニアの地方における公的保健医療施設に勤務する保健医療従事者の動機付けについて調査を実施した。

二　タンザニアの地方の一次医療施設で働く医療従事者の動機付け

著者を含む研究チームは、タンザニア本土の二州四県（図3）の公的一次医療施設（診療所、保健センター）に勤務する保健医療従事者二六三名を対象に調査を実施した。調査方法には混合研究法を用い、はじめに質問票を用いた量的調査を実施し、その後一部の研究参加施設の保健医療従事者を対象に質的インタビュー調査を実施した。

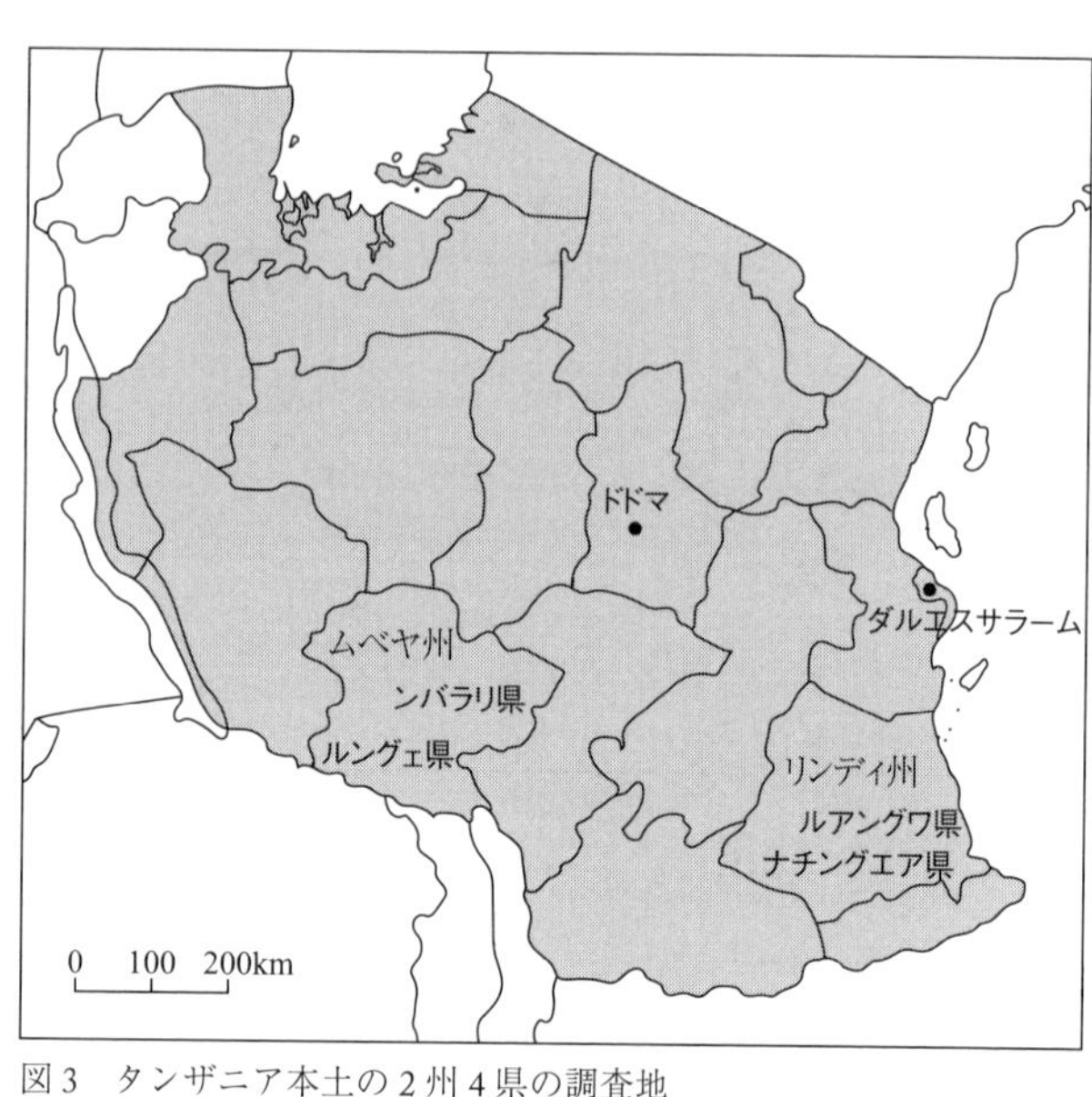

図3　タンザニア本土の2州4県の調査地

量的調査結果については他の論文で詳述されているため［Sato et al. 2017］、本稿では要点のみ記すこととする。調査参加者の七〇％が女性であった。平均年齢は三九歳で、約半数が独身であった。平均月収は四七万五〇〇〇タンザニアシリング（データ収集時換算レートで約二〇〇USドル）であった。全体の三四・二％がタンザニアの保健医療従事者のヒエラルキーにおいて最下位に属する医療助手（Medical Attendant）であり、三一・七パーセントが看護師・助産師であった。質問票の回答より、動機付けと関連している要因として、婚姻状況、職務記述書を有していること、在職年数（一年未満、七年以上）が浮かび上がった。

次に、研究チームは研究対象地域の一六の公的一次保健医療施設に勤務する保健医療従事者六四名を対象に、各施設においてフォーカス・グループ・ディスカッション[5]を実施した。以下では、ヘルスワーカーの動機付けに関連する三つの要因である金銭的インセンティブ、キャリア開発、マネジメントの側面に従い、質的インタビュー結果をとりまとめた。

1　金銭的インセンティブ

複数のインタビュー参加者が、一か月の給料で家計を賄うことができないため、商店などから「つけ」で購入している実態、また、あるヘルスワーカーは、生き延びるため、違法行為である患者からのわいろを受け取ることも辞さないと発言した。

我々の仕事は二四時間以上働く時もあり、診療時間のスケジュールに従っていないので、［給料が］九割増になればよいでしょう……（略）……我々はこの土地に長くいるため、商人とも親しくなっているため、砂糖や衣服、その他の物品をつけで購入します。月末に借金を返済すると、またつけで購入します。このような生活を送っています。（ムベヤ州・男性　二七四一）

私たちは店から借ります。そして時には自分たちの要求を満たすためにわいろを受け取ることもあります。

（リンディ州・女性　三五二一）

ある保健医療従事者は、給料が少ない原因は退職金の積立金が天引きされているためであるが、天引きされた退職金を実際に受け取ることは難しい、と答えた。

給料は十分ではなく、源泉徴収が大きいため［手取りの］給料はより少なく、悪くなります。雇用された時に、受け取るべき給料の金額を知らされますが、実際に手にすると大きく異なっているため、［その理由を］質問すると、「それは退職金［の積み立て分］が取られるためです」と言われます。それが結果であっても、［退職金を受け取るような］高齢に達することは不可能です。（リンディ州・女性　二五二一、［　］は筆者の補足）

参考までに、タンザニア公務員の退職年齢は六〇歳であるが、このヘルスワーカーが回答した二〇一三年のタンザニアの平均余命は六一・四歳（女性が六三・四六歳で男性が五九・三三歳）であった［World Bank 2020］。

農村部の診療所、保健センターには昼夜、平日、週末、を問わず住民がサービスを求めにやってくる。ある保健センターの女性スタッフは「私たちは毎日夜も仕事をしています。通常私は夜中に二、三度起こされます」と発言した。このような定められた診療時間外に医療サービスを提供した場合の報酬が、未払い、支払いの遅延、あるいは不払いであることが、多くのインタビュー参加者の不平不満を募らせていた。

超過勤務手当に関しては長い期間未払いの状態が続いており、憂鬱な気分になります。これまで一度だけ支払われたことがありますが、それは昨年のことで、請求するように言われたのでそうしました。その後、期限が切れたと［県保健局に］言われたため、再度請求しましたが現在に至るまで支払われておらず、再度請求する気になりません。（リンディ州・女性　三五二二）

女性ヘルスワーカー1：私たちは［患者からの呼び出し手当を請求する様式を］書きません。私たちは一生懸命忙しく仕事をしているのに微々たる手当をもらうか、一切支払われないため、腹立たしく思います。

ファシリテーター：例えば七月から今まで［インタビューは一〇月一四日に実施］患者の呼び出しの何回分について支払われましたか？

女性ヘルスワーカー1：二回分支払われました。しかしこれは全ての呼び出し分ではありません。支払われるごくわずかのお金は私たちの仕事に見合っていません。とてもつらいです。大人なので泣きません、しかしつらいです。

女性ヘルスワーカー2：ちなみに呼び出し手当を請求する時は手当を払ってもらうまで県保健局まで行く必要があり、これには長い時間がかかりますが、その際の交通費は自己負担しなければいけません。（リンディ州・女性　二五二一）

調査対象となった保健医療施設のインタビュー参加者のほぼ全員から、超過勤務手当の未払い、不払い、支払いの遅延に関する不満の声があがった。多くの保健医療従事者は、昼夜を問わず訪れる患者を目の前にして、超過勤務手当がすぐには（あるいは全く）支払われないことがわかっていても、時間外労働を受け止めざるを得ない状況が日常化していることがうかがえる。

2　キャリア開発

タンザニアの公的保健医療施設に在籍する保健医療従事者は県（District Council）に雇用される。既に保健サービスを提供する保健医療従事者のキャリア開発は、県保健局がその方針を決定する。例えばある年のある県保健局では、三年間の臨床医学を修めたクリニカル・オフィサーが、さらに二年の専門教育を受けることで、医務官補（Assistant Medical Officer：AMO）の資格を取得することを奨励するとすれば、県ではそのための専門教育を希望する若干名のクリニカル・オフィサーを公募し、選ばれた人材の学費を支援する、という仕組みである。

一方、このような学費免除の恩恵を受けることができないのが、医療助手（Medical Attendant）である。医療助手は、前述の著者らによるタンザニア二州四県の調査では、調査に参加した九八か所の対象保健医療施設に勤務する二六三名の保健医療従事者のうち、三四・二％を占め、最も割合の多い職種であった［Sato et al. 2017］。

表5（八一頁）に記載されているように、医療助手になるためには、小学校卒業、あるいは六年間の中等教育を修了していることが必要条件である。この基準に違いがある理由は、六年間の中等教育を修了している要件が導入される以前は小学校卒業後一年間の訓練を受けた者が医療助手として採用されていた。このような初等教育のみの教育歴の医療助手は、中等教育に入りなおさない限り、看護師や助産師の専門教育を受けることができない。従って医療助手がそれ以外の職種にアップグレードすることは現実的にかなり厳しい。

その一方で、本来の医療助手の業務は施設の清掃、検査用のサンプルの施設内での運搬、外来・入院患者のケア等である。しかし、前述の通り、公的保健医療施設において保健医療人材が五割以上不足し、それが特に顕著である地方においては、タスク・シフティングなしでは保健サービス提供が困難になっている。タスク・シフティング(6)

表3　診療所において必要な保健医療従事者の職種と人数

機能	職名	最低数	最大数
外来・救急	クリニカル・オフィサー／ クリニカル・アシスタント	1	2
	看護師	1	2
薬局	薬剤師補佐員	1	1
リプロダクティブ・小児	看護師	1	2
産科	看護師、産前・産後看護師	2	3
検査室	検査技師補佐員	1	1
清掃	医療助手	1	1
地域サービス	コミュニティ・ヘルス・ワーカー／ 社会福祉補佐員	1	2
警備	警備員	2	2
事務	データ作業者	1	1
	歳入徴取官	1	1
	健康保険専門家	1	1
	会計補佐員	1	1
	計	15	20

出典：Ministry of Health and Social Welfare (2015) Staffing Levels for Ministry of Health and Social Welfare Departments, Health Service Facilities, Health Training Institutions, and Agencies 2014-2018. 3ページ.（和訳は著者による）

表4　保健センターにおいて必要な保健医療従事者の職種と人数

機能	職名	最低数	最大数
外来病棟／ 救急サービス	医師	1	1
	放射線技師	1	1
	医官補	1	1
	クリニカル・オフィサー	2	3
	看護官補	1	1
	看護師	1	2
	医療記録者	1	1
	医療助手	1	2
眼科ケアサービス	眼科看護官	1	1
	検眼士	1	1
検査科	検査技師	1	1
	検査技師補	1	1
	医療助手	1	1
薬局	医薬品担当官	1	1
	医薬品担当官補	1	1

プライマリ口腔保健	歯科医官補	1	1
	歯科療法士	1	1
	看護師	外来からの 1	外来からの 1
	医療助手	外来からの 1	1
自発的カウンセリングおよび検査	クリニカル・オフィサー	外来からの 1	外来からの 2
	看護師	1	1
治療とケアセンター	医官補	外来からの 1	外来からの 1
	クリニカル・オフィサー	外来からの 1	外来からの 1
	看護師	1	2
	医薬品担当官補	薬局からの 1	薬局からの 1
在宅ケアサービス	看護師	外来からの 1	外来からの 1
リプロダクティブ・小児保健	看護官補	外来からの 1	1
	看護師	2	2
事務	データ作業者	1	1
	歳入徴取官	1	1
	健康保険専門家	1	1
	会計補佐員	1	1
地域サービス	社会福祉官補	1	1
	コミュニティ・ヘルス・ワーカー／社会福祉補佐員	1	1
	環境衛生官補	1	1
入院病棟（女性病棟）	医官補	外来からの 1	外来からの 1
	クリニカル・オフィサー	外来からの 1	外来からの 2
	看護師	2	3
	医療助手	2	2
入院病棟（男性病棟）	医官補	外来からの 1	外来からの 1
	クリニカル・オフィサー	外来からの 1	外来からの 2
	看護師	2	3
	医療助手	2	2
霊安室	霊安室係員	1	1
洗濯	洗濯要員	1	3
警備	警備員	2	2
	計	39	52

出典　Ministry of Health and Social Welfare (2015) Staffing Levels for Ministry of Health and Social Welfare Departments, Health Service Facilities, Health Training Institutions, and Agencies 2014-2018. 4-6 ページ.（和訳は著者による）

表5　保健医療従事者の専門教育年数と資格証明書

職名	職名（和訳）	専門教育年数	資格証明書
Assistant Dental Officer	歯科医官補	5	Advanced Diploma in Clinical Dentistry
Assistant Medical Officer	医官補	5	Advanced Diploma in Clinical Medicine
Medical Doctor	医師	5	Degree in Medicine
Opthalmic Nursing Officer	眼科看護官	5	5 Years in Opthalmic Nursing
Assistant Nursing Officer	看護官補	3	Diploma in Nursing
Clinical Officer	クリニカル・オフィサー	3	Diploma in Clinical Medicine
Dental therapist	歯科療法士	3	Diploma in Clinical Dentistry
Environmental Health Officer	環境衛生官	3	Diploma in Environmental Health
Laboratory Technologist	検査技師	3	Diploma in Health Laboratory Science
Optometorist	検眼士	3	3 Years in Opthalmic Technology
Pharmaceutical Technologist	医薬品担当官	3	Diploma in Pharmaceutical Technology
Radiographer Technologist	放射線技師	3	Diploma in Health Radiographer Technology
Registered Nurse	正看護師	3	Diploma in Nursing
Antenatal and Postnatal Nurse	産前・産後看護師	2	Certificate in Nursing
Assistant Environmental Health Officer	環境衛生官補	2	Certificate in Environmental Health
Assistant Laboratory Technologist	検査技師補	2	Certificate in Medical Laboratory Sciences
Assistant Pharmaceutical Technologist	医薬品担当官補	2	Certificate in Pharmacy
Assistant Social Welfare Officer	社会福祉官補	2	Certificate in Social Welfare
Clinical Assistant	クリニカル・アシスタント	2	Certificate in Clinical Medicine
Medical Recorder	診療記録士	2	Certificate in Health Medical Records
Nurse	看護師	2	Certificates in Nursing
Pharmaceutical Assistant	調剤補佐員	2	Certificate in Pharmaceutical Technology
Account Assistant	会計補佐員	1	Certificate of Accounting

Community Health Worker	コミュニティ・ヘルス・ワーカー	1	Certificate in Community Health
Data clerk	データ作業者	1	Certificate in Computer Applications
Health insurance Expert	健康保険専門家	1	Certificate in Insuarance
Medical Attendant	医療助手	1	Standard VII or Form VI
Revenue collector	歳入徴取官	1	Certificate in Tax Administration
Social Welfare Assistant	社会福祉補佐員	1	Certificate in Social Welfare

出典：タンザニア大統領府地方自治省保健課スタッフからの情報提供（2018年時点）
注：職名については著者が和訳し、資格証明書については原文のまま記載した。

とは、保健人材チーム間での合理的な任務の再分配をすることで、適切であると判断される場合には、保健人材をより効率的に使用するため、高度な資格を有する保健医療従事者の特定の任務を、研修期間がより短い保健医療従事者に委譲することを意味する［World Health Organization 2008］。

表3では、診療所において最低一五人の保健医療従事者が必要であると定められているが、調査で訪れた殆どの診療所では、一五名からほど遠い一名のクリニカル・オフィサーと一名の医療助手からなる計二名によって運営されていた。保健センターも同様であり、表4の必要最低数の三九名の保健医療従事者を擁していた保健センター、さらに医師を擁する保健センターは皆無であった。このような状況下で医療助手は、長年保健人材不足の現場でクリニカル・オフィサーや看護師のタスクを委譲され、その結果実践的なスキルを身に着けてきた。しかし、そういったスキルや経験は給料や昇進に反映されることがなく、仕事量と責任だけが重くのしかかるのである。次の引用はファシリテーターと女性医療助手とのやりとりの一部である。

ファシリテーター：自分の能力以上の業務をこなす人はいますか？

女性医療助手：医療助手は自身の能力以上働いていますが、県保健局は私たち医療助手のことに無関心です。私たちはキャリア開発したいと思っていますが、政府の制限や条件は、教育をだいぶ前に修了した人にとって大変難しいものです。例えば、県保健局は二〇〇七年以降に中等教育を修了した人を募集するとしますが、一九九〇年代に中等教育を修了した人もいます。このような理由で私たちは［キャリア開発の機会に］参加することができず、がっかりします。県保健局は私たちのことを考えるべきです。

ファシリテーター：例えば自分のスキル以上の仕事をする時何か影響はありますか？

女性医療助手：もちろん影響はあります。特に患者に薬を処方し、その患者に副作用が現れたとしたら、それは問題になります。なぜならそれは自分の仕事ではありませんから。（リンディ州・女性　三五二一）

上記の事例とは逆の事例も存在する。休職し、専門教育を受け新たな資格を取得した後、専門教育を受ける前と同じ保健施設に再び配属となった保健医療従事者は、せっかく身に着けた新たなスキルや医療技術を有効に使うことができず動機を失ってしまう。

実際には医療機器の欠如によって働く動機が薄れます。なぜなら、瀕死の患者の命を救うことのできるはずの機器が存在しないからです。このような課題のなかで、私は政府に機器を供給するよう依頼することを続けますが、同時に医療機器が適切に整っている別の場所に異動することも考えています。

……（中略）……

［ファシリテーターの、自分の能力以上あるいは能力以下の業務をこなす場合があるか、の問いにたいして］

はい。自分の知識以下の仕事をするという場合もあります。そのため、このような人はスキルを失い、動機が死んでしまいます。雇用されている者としてただ仕事に行くだけです。（ムベヤ州・男性　一二四四一）

3　マネジメント（特に人材管理に関して）

⑴進展がみられない「サポーティブ」・スーパービジョン

サポーティブ・スーパービジョンとは、「スタッフが自らの職務遂行能力を継続的に改善することを助けるプロセス。サポーティブ・スーパービジョンは、保健スタッフの知識とスキルを向上させる機会として、スーパーバイザーが敬意を持って権威主義的でない方法で訪問することによって実施される」とＷＨＯは定義している［World Health Organization 2020］。

県保健局（Council Health Management Team：CHMT）は県の管轄下にある保健医療施設を三か月に一度の頻度でこのサポーティブ・スーパービジョンを実施することになっている。しかし、中央政府から地方政府への交付金遅配のため、県保健局のオフィスのある県の中心部から農村部の保健医療施設に行くための車両の燃料費や県保健局スタッフの日当への財源がない等の理由で定期的なスーパービジョンは実施されていない。それでも県保健局の誰かが診療所や保健センターに訪れた際には、スタッフは自分たちでは解決困難な問題を県保健局員に伝える。しかし、スーパービジョンや県保健局員の訪問後、肝心の解決すべき問題についての回答が一切ないことが、一次保健医療施設のスタッフを落胆させている。

女性ヘルスワーカー：彼ら［県保健局員］は我々の懸案事項を持ち帰りますが、それらに関するフィードバックを見たことがありません。

ファシリテーター：一般的にあなたはスーパービジョンについてどう思いますか？

女性ヘルスワーカー：フィードバックが一切ないので、一般的に役立つものではありません。（リンディ州・

女性　八一三二一）

彼ら〔県保健局員〕はしばしばここに来て私たちと話をしますが、私たちの保健医療施設の解決すべき問題について、〔解決策を〕実行することもなければ、フィードバックすることもありません。（ムベヤ州・女性　一七四一）

⑵職務記述書が不在のままの業務

前述の通り、著者らが実施した調査では、地方の保健医療従事者の動機付けと職務記述書が関連していた〔Sato et al. 2017〕。本来、保健医療従事者は、新たな県に着任する際、あるいは昇進した際に職務と職責が記載された職務記述書を県医務官（District Medical Officer）から受け取ることになっている。

前述の調査結果では二六三名のうち、職務記述書を持っていると回答したのは六〇・八％であり、四割弱の調査参加者が職務記述書を持っていなかった〔Sato et al. 2017〕。次の女性ヘルスワーカーのように、職務記述書を持たない人々は、具体的な業務と責任については紙面ではなく、口頭で説明されたと話していた。

辞令は受け取りましたが、職務記述書は受け取っていません。（リンディ州・女性　三五二二一）

保健人材不足によってもたらされるタスク・シフティングがルーティン化し、特に医療助手に至ってはたとえ職務記述書を受け取ったにせよ、実際は記載された職務以上の職務を担っていると考えられる。このような現状から、職務記述書の内容と現実の職務内容は大きく乖離しており、それゆえ職務記述書が存在しないこと自体がタンザニア農村部の公的保健サービス提供の実情を表しているのかもしれない。

⑶形骸化する「公正実績評価システム」

「公正実績評価システム（Open Performance Review and Appraisal System : OPRAS）」はタンザニアの公務員が年に二度実施する人事評価のシステムである。年度はじめに公務員は、職務記述書をベースに上司と相談し、その年に達成したい目標設定をする。六か月後に半年の成果、一二か月後には過去一年間の達成が総合点で評価される。このプロセスは上司と部下が話し合い、総合点について合意した後にオプラスのフォームに記入される。このオプラスの結果により昇進、昇級が決定される。しかし、現実はそうとは限らないことが以下のヘルスワーカーの発言からうかがえる。

> オプラスと昇進は二つの別のものです。一生懸命働いても昇進できない人がいる一方、真面目に働かず昇進する人もいます。保健事務官［Health Secretary、県保健局のコアメンバー］はオプラスに関するフォローアップと指導をしていますが、オプラスの結果は芳しくありません。（ムベヤ州・男性　三四四一）

> 私は彼ら［上司］が昇進に値するかどうかを決めているのだと思います。上司と一緒に総合点を記入したことは一度もなく、昇進の手続きについて私たちはよくわかりません。（リンディ州・女性　二三二一）

そもそも職務記述書がないヘルスワーカーは具体的な目標設定ができず、次のヘルスワーカーが語るように、同僚のオプラスを写している者も少なくない。

実際は多くの人がオプラスを記入することを負担に思っています。皆どうオプラスのフォームを記入するか知りませんし、多くの人は記入方法についてオリエンテーションを受けていません。その結果、ヘルスワーカーはお互いに目標をコピーしています。このような理由で状況の改善が見られないのです。（リンディ州・女性　二三二一）

医療助手を除いて、公的保健医療施設に勤務する保健医療従事者は、タンザニア公務員制度に基づいて、三年毎にオプラスの総合点に基づき、昇進が検討されるべきである。しかし、この制度に従って全てのヘルスワーカーが順調に昇進しているとは限らない。

ファシリテーター：昇進と給料の改正はあなたの仕事に影響を与えますか？

女性ヘルスワーカー：大きな影響があります。なぜなら長い間働いて昇級された時、給料も増えるからです。でも、長年働きてきたにもかかわらず昇進せず、給料は新人ヘルスワーカーと同じ額であることは、働く気力を失わせ、自分の仕事ぶりがよくないから昇進されないのだ、と思ってしまいます。（ムベヤ州・女性　一七四二）

4　その他動機付けに影響を与える諸因

上記以外に、インタビュー参加者から多く聞かれた動機付けに影響を与える要因として、電気・水道や医療資機材の不足、および職員住宅の欠如の二点を以下に挙げる。

本調査に参加した計九八施設のうち、電気（太陽光発電を除く）、水道といったインフラが整備されていた施設は皆無であった。これらライフラインの欠如により、本来無料で提供されるべき分娩サービスに金銭が関連してくることが以下の語りから理解できる。

［この施設には］水も電気もありませんから、妊婦さんが［分娩］サービスのために施設に来る時に、私たちは、彼女にバケツ三杯の水と灯油を持ってくるようにお願いします。もしも彼女が灯油を持って来ない場合は、灯油を買う分のお金を持参しなければなりません。（ムベヤ州・女性　一七四一）

また、タンザニアの医薬品供給システムは、決まった量の医薬品が定期的に保健医療施設に配達される、いわゆる「プッシュ」システムから、各保健医療施設がそれぞれのニーズに基づき、保健省の統合ロジスティックシステム（Integrated Logistic System：ILS）によって注文する、いわゆる「プル」システムに、二〇〇五年から徐々に移行した［Wales, Tobias, Malangalila, Swai, & Wild 2014］。しかし、多くのインタビュー参加者は、依然として解消されないままの医薬品の在庫切れに不満を露わにしていた。

［ファシリテーターの医薬品へのアクセスが以前と比べ改善したか、の問いにたいして］問題は増えています。以前は医薬品の遅配が問題でしたがそれほど心配していませんでした。しかし今では悪化しています。薬のストックアウトは希望を失う三か月以上続くこともあります。（リンディ州・女性　三五二一）

量的調査結果によると、調査参加者の七三・三％にあたる一九五名の保健医療従事者が、現在勤務する県外出身者であった。このように県外から異動してくるヘルスワーカーには元来住居が提供されるべきであるが、保健医療施設の敷地内に一棟か二棟の職員住宅があればよい方で、これらの職員住宅に入居できないヘルスワーカーは、賃貸物件を借りることとなる。その場合、地方の辺鄙な地域においては、水や電気など住環境が整う物件は必ずしもヘルスワーカーが勤務する保健医療施設の近くにあるとは限らない。

ファシリテーター：スタッフのための宿舎はありますか？
女性ヘルスワーカー：一軒もありません。
ファシリテーター：ではどこに住んでいるのですか？
女性ヘルスワーカー：村で借りています。
ファシリテーター：夜に患者さんが来た場合はどうしますか？
男性ヘルスワーカー：施設にいる当直のスタッフと電話でやりとりし、この当直スタッフが村から保健センターまでの交通手段をアレンジします。その交通費は自分の持ち出しになります。（リンディ州　二五二一）
女性ヘルスワーカー：この状況［ヘルスワーカーが職場から離れた場所に住んでいること］は他の保健サービスにも大きな影響を与えます。なぜなら私たちは施設から遠くに住んでいるため、職場に到着する時には既に疲れており、仕事のパフォーマンスも低下します。（ムベヤ州　一二四四一）

三　結論

本調査から、職務記述書の交付、超過勤務手当の支払い、規定通りの昇給、業績の正当な評価、あるいは環境が整った職員宿舎の提供など、当然なされるべきことが実施されないことより、保健医療従事者の動機付けに負の影響を与えていたことがわかった。これらの点に関しては、短期的に県医務官、県保健局がすぐ実行できるものと、制度改革や多額の資金など長期的な計画を要するものもある。例えば安定した電力や安全な水を供給することはひとつの地方自治体が対応できる範囲を超えている。職員宿舎についても場所や予算の問題から、県外から異動して来る職員全員の住宅を建築するのは現実的ではない。そのような場合には家賃並びに交通費の補助など、対応できる範囲の改善策を県保健局のリーダーシップにより実施することが望まれる。

《謝辞》調査対象州ムベヤ州、リンディ州の州保健局、そして調査対象のンバラリ県、ルングウェ県、ナチングエア県、ルアングワ県の県保健局、さらに調査対象施設で調査に参加して下さったヘルスワーカーの皆様のご協力に感謝いたします。

《付記》本研究において、タンザニア側の共同研究者としてフィールドワークを協働実施した共著者の一人、デオグラティアス・マウフィ氏が二〇一九年三月に急逝されました。精力的に研究活動を遂行したマウフィ氏に感謝と哀悼の意を表します（佐藤記）。

注

（1）正式名称はタンザニア連合共和国。
（2）前述の三か所に加え、キルワ・キシワニとソンゴ・ムナラの遺跡群、ザンジバル島のストーン・タウン、セルース動物保護区、コンドア岩石芸術遺跡群の計七か所。
（3）Primary Health Service Development Programme
（4）Human Resources for Health and Social Welfare Strategic Plan 2014-2019
（5）通常六から八人の参加者を対象に一名のファシリテーターが自由な議論を促しながらある特定のテーマについて参加者の態度、感情、考えを引き出す質的調査法。
（6）タスク・シフティングには高度な有資格者から医療行為がそれ以外の保健医療従事者に委譲される、というトップダウン的な意味合いが含まれるため、チームによって医療行為を実施する、という意味においてタスク・シェアリングが使われる場合が多い。

参考文献

Hongoro, C., & McPake, B.
2004 How to bridge the gap in human resources for health. The Lancet, 364(9443): 1451-1456. doi: https://doi.org/10.1016/S0140-6736(04)17229-2

Leshabari, M. T., Muhondwa, E. P. Y., Mwangu, M. A., & Mbembati, N. A. A.
2008 Motivation of health care workers in Tanzania: a case study of Muhimbili National Hospital. *East African journal of public health* 5, 32-37.

Manongi, R., Marchant, T., & Bygbjerg, I. C.
2006 Improving motivation among primary health care workers in Tanzania: a health worker perspective. *Human Resources for Health* 4, 6. doi:10.1186/1478-4491-4-6

Narasimhan, V., Brown, H., Pablos-Mendez, A., Adams, O., Dussault, G., Elzinga, G., . . . Chen, L.
2004 Responding to the global human resources crisis. The Lancet, 363(9419): 1469-1472. doi:https://doi.org/10.1016/S0140-6736(04)16108-4

Pozo-Martin, F., Nove, A., Lopes, S. C., Campbell, J., Buchan, J., Dussault, G., . . . Siyam, A.
2017 Health workforce metrics pre- and post-2015: a stimulus to public policy and planning. *Human Resources for Health* 15(1): 14. doi:10.1186/s12960-017-0190-7

Sato, M., Maufi, D., Mwingira, U. J., Leshabari, M. T., Ohnishi, M., & Honda, S.
2017 Measuring three aspects of motivation among health workers at primary level health facilities in rural Tanzania. PLoS ONE, 12, e0176973. doi:10.1371/journal.pone.0176973

The Africa Working Group of the Joint Learning Initiative on Human Resources for Health and Development
2006 *The Health Workforce in Africa: Challenges and prospects*. Retrieved from Geneva: https://www.who.int/workforcealliance/knowledge/resources/africawglearning/en/（二〇二一年一〇月一一日閲覧）

United Republic of Tanzania Ministry of Health and Social Welfare

2014 *Human Resource for Health and Social Welfare Strategic Plan 2014-2019*. (ISBN: 978-9987-737-11-6). Dar es Salaam, Retrieved from https://www.jica.go.jp/project/tanzania/006/materials/ku57pq00001x6jyl-att/HRHSP_2014-2019.pdf（二〇二一年一〇月二一日閲覧）

United Republic of Tanzania Ministry of Health and Social Welfare

2015 *Staffing Levels for Ministry of Health and Social Welfare Departments, Health Service Facilities, Health Training Institutions, and Agencies 2014-2019 Revised*. Dar es Salaam, Tanzania Retrieved from https://www.jica.go.jp/project/tanzania/006/materials/ku57pq00001x6jyl-att/REVIEW_STAFFING_LEVEL_2014-01.pdf（二〇二一年一〇月二一日閲覧）

Wales, J., Tobias, J., Malangalila, E., Swai, G., & Wild, L.

2014 Stock-outs of essential medicines in Tanzania A political economy approach to analysing problems and identifying solutions.

Willis-Shattuck, M., Bidwell, P., Thomas, S., Wyness, L., Blaauw, D., & Ditlopo, P.

2008 Motivation and retention of health workers in developing countries: a systematic review. *BMC Health Services Research* 8(1):247. doi:10.1186/1472-6963-8-247

World Bank

2020 Tanzania. Retrieved from https://data.worldbank.org/country/tanzania（二〇二一年一〇月二一日閲覧）

World Health Organization

2006 The World Health Report 2006: Working together for health. Retrieved from https://www.who.int/whr/2006/whr06_en.pdf?ua=1（二〇二一年一〇月二一日閲覧）

World Health Organization

2008 Task shifting : rational redistribution of tasks among health workforce teams : global recommendations and guidelines. Retrieved from https://www.who.int/healthsystems/TTR-TaskShifting.pdf

World Health Organization

2020 *Training for mid-level managers (MLM): module 4: supportive supervision*. Retrieved from https://www.who.int/immunization/documents/MLM_module4.pdf（二〇二一年一〇月二一日閲覧）

病院の門——子どもが語るセネガルの公的医療、貧困、排除

井田暁子

一　問題提起——サハラ以南のアフリカにおける医療へのアクセスと、「病院利用者」としての子どもの視点

「去年、私はとても具合が悪くなりました。そこで、朝とても早く、お母さんが私を病院へ連れて行きました。病院にはタクシーで行きました。門の前に着くと、守衛さんが私に入ってはいけないと言いました。でも他の人たちが、私の具合がとても悪いのを見て、通してもらえるようにお願いしてくれました。病院の中には、お医者さんと看護師さんがいました。お医者さんと看護師さんが私の命を救うために、私たちの方へやって来ました。病院にはたくさんの病人がいました。階段に座っている人もいれば、地面に寝ている人もいました。看護師さんたちは、寝ている人たちに階段に座るように言いました。お医者さんが注射を手にすると、私は怖くて逃げたくなりました。お医者さんたちは、病気は重くないと言って、（薬を）買うように処方箋をくれました。注射はとても痛かったです。でも神様のおかげで私は死にませんでした。」（作文、一二歳、女児）

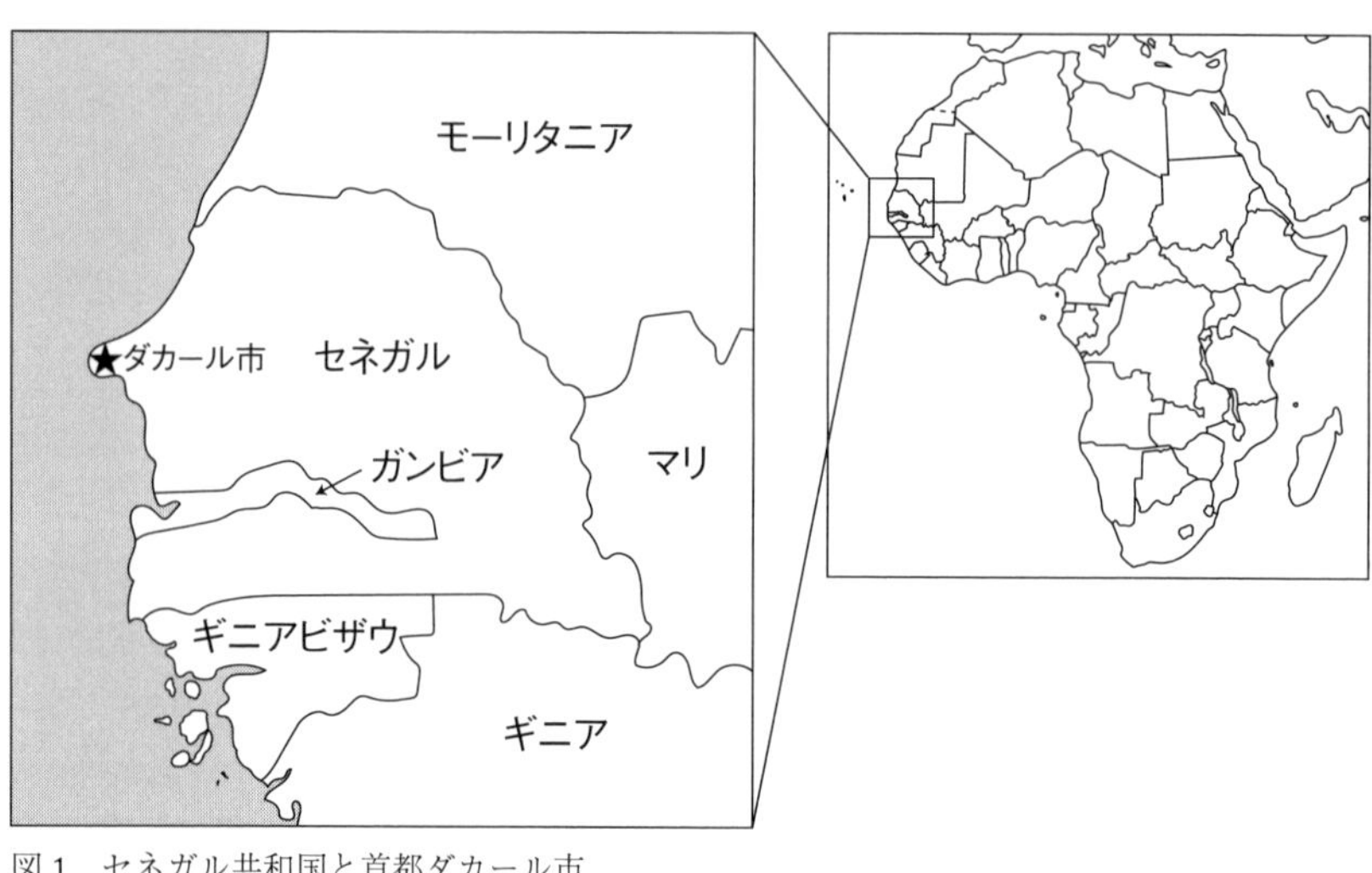

図1　セネガル共和国と首都ダカール市

これは、アフリカ大陸の西端に位置するセネガル[1]の首都ダカール（図1）の市内にある漁村に住む一二歳の少女、アシャ[2]が、病院へ行った際の経験を綴った作文の一部である。[3]病気のために病院へやって来た少女と母親はまず、中に入るために守衛と交渉しなければならなかった。守衛は少女の入場を拒否したが、「他の人たち」がアシャの重篤な様子に気がついて守衛を説得してくれたお陰で、病院に入ることができたのだった。背景には、座って待つ場所も無い病院で、地面に寝転がり階段に腰をかけて順番を待つ病人達の様子、厳しい執務環境にも関わらず、診療を行うべく奮闘する医療者の様子が垣間見える。

一九七八年、世界の国々と世界保健機構（ＷＨＯ）、国連児童基金（ユニセフ）は、当時のソビエト連邦（現在のカザフスタン共和国）で「アルマ・アタ宣言」を採択し、保健医療サービスは全ての人に保証されるべき権利である、と宣言した。しかし四〇年以上が過ぎた今も、その権利の保証は実現されていない。なぜアシャは病院の中に入ることを拒否されたのか。本章では、公的医療へのアクセスを阻む様々な障壁を、サハラ以南の低中所得国であるセネガルを題材に、従来の調査では意見を求められることのなかった子どもの視点を通じ、人類学の観点から明ら

かにする。(4)

今日、サハラ砂漠以南のアフリカ（以下、「アフリカ」）では、一三人に一人の子どもが五歳の誕生日を迎える前に亡くなってゆく［World Bank 2020a］。これは、日本を含む高所得国における死亡率の約一五倍に相当する。これらの子どもの主な死亡原因は、肺炎、下痢、マラリアなどの予防や治療方法が確立した病気が大部分を占めており、適時に必要な治療を受けるための医療へのアクセスの確保が、子どもの命を守る上での重要な課題となっている。

本章で事例として取り上げるセネガルでの五歳未満児の死亡率は、出生数千件あたり四五・三人（二〇一九年時点。二〇〇九年時点では出生数千件あたり七〇・二人）にのぼる［World Bank 2020b］。医療へのアクセスという観点からは、保健医療施設や医師・看護師

写真1　村の子ども達（提供　国際協力機構）

写真2　バオバブの樹と村の子ども達（提供　国際協力機構）

写真3　ロバに乗る子ども（提供　国際協力機構）

などの医療資源の不足や診療費用などが、これまで主な障壁と考えられてきた。

セネガルでは、子どもが熱を出した際に公立の保健医療施設を受診させる保護者は約四割にとどまり（私立の医療施設利用者は約八％、伝統的な「治療師」を含むその他の手段の利用者は約三％）、子どもを保健医療施設へ受診させない人が半数以上にのぼる［ANSD & ICF, 2017: 148］。一日一・九ドル以下で生活する貧困層が国民の約四割［World Bank 2020a］を占める中、マッキー・サール大統領が二〇一二年の大統領就任時に公約として挙げた国民皆保険制度の導入や保健所での五歳未満児のための医療費原則無料化といった政策は、今も実現の途上にあり、医療費が必要な診療を受ける上での一つの重要な足かせとなっている。

所得の格差が大きく、貧困層が人口の多数を占めるアフリカでは、全ての人が病気から身を守り、必要な医療サービスを利用できる環境を整えることが重要な課題となって来た。しかし過去数十年のアフリカ開発政策の中で、この問題は未だ解決に至っていない。以下では、アフリカの病院が置かれている環境を、歴史と政策の観点から簡単に振り返る。その上で、研究の枠組みと共に、医療へのアクセスというテーマにおいて子どもの視点を取り上げることの意義を示した後、調査結果を提示する。

1 アフリカの病院を取り巻く政策環境——政府の医療費削減と貧困層への拒絶

アフリカ諸国の多くは一九六〇年前後に独立を果たしたが、一九八〇年代以降は財政破綻に陥り、世界銀行・国際通貨基金（ＩＭＦ）からの融資と引き換えに、「小さな政府」を名目とした「構造調整政策」という名の緊縮財政政策を受け入れた。その柱の一つが、公立病院への予算削減と、病院利用者への費用負担の導入を軸とした、医療費の大幅削減である。仏語圏西アフリカには病院利用料を負担できない貧困層が多数存在する中で、利用者から利用料を徴収して病院の経営を建て直し、サービスの質を向上させる、という構造調整政策以来の目標は、今日も達成されていない［Jaffré & Olivier de Sardan 2003］。

その後、貧困層による病院の利用が低下したことを受けて、政府と利用者のどちらが診療費用を負担すべきか（すなわち医療は「権利」か、個人が購入すべき「サービス」か）、負担が困難な貧困層を政策上どう扱うのか、という議論が巻き起こり［Abbasi 1999; Creese 1997; McPake 1994］、二〇〇〇年代の後半からは、一律の利用者負担を廃止する動きが一部のアフリカ諸国と援助機関で高まって行った［African Union 2010; Save the Children 2005］。セネガルを含むいくつかの国では、妊産婦ケアを中心に病院利用者負担の全面的ないし一部の廃止が進められ［Meessen et al. 2011］、ウガンダ等では貧困層による保健医療サービスの利用を増やすことに成功した［Nabyonga et al. 2005］。しかしどの国でも、医療費の財源確保と貧困層における医療へのアクセスの保障をどう両立するか、という点が継続した課題として残った。

セネガルでは、妊産婦ケアと小児保健を中心とした「ケアの最小パッケージ」が導入され、プライマリ・ヘルスケアの提供とジェネリック医薬品を活用した基礎医薬品へのアクセス向上が図られた。しかしその後もアフリカ諸国では子どもや妊産婦の死亡率が高止まりし、貧困層が病院の利用を控える一方で、ケアの質や医療者のモチベーション向上は達成されず、病院内では深刻な機能不全が発生した［Jaffré & Olivier de Sardin 2003］。セネガルでは、国民皆保険制度の導入を図りつつも、一律の利用者負担は今も継続している。

セネガルでは、一九九八年の病院改革法を経て病院の独立行政法人化がなされ、各病院は利用料の設定などの面で一定の裁量を得るのと引き換えに、サービスの質を確保する義務を負った。公立の保健医療施設に対する政府予算は一定程度維持されたが、政府が病院経営の主体から退いたために各病院の経営は一層苦しくなり、多くの病院は多額の負債を抱え、貧しい患者の医療費を補助することが難しくなった。それと同時に、貧困に喘ぐ人々の足は病院から更に遠のいて行った。

本章で取り上げる調査が実施された二〇一〇年にセネガル政府が計上した医療予算は、二一・六三兆ＣＦＡフラン

（CFAフランは旧フランス領中西部アフリカで使用される共同通貨。当時のレートで約五〇〇四億円）で、当時の国民総生産の約四・六二％［Ministère de la Finance 2009: v］に相当する。この数字は、WHOがアフリカ諸国に最低限の保健医療サービスを維持するのに必要な基準として提唱する「国民総生産の一五％」という水準を大きく下回る。実際に、調査を実施した二〇〇九年から二〇一一年の期間、セネガル各地の病院では停電や断水が発生し、注射器から石鹸に至る医療資機材の不足、医師や看護師への給与の遅配、全国の公立病院における医療者によるストライキが多数発生した。本稿に登場する子ども達が訪れるのも、こうした病院の一つである。

2 セネガルの病院事情と研究の枠組み

セネガルの保健医療施設は、村・市・州・国の行政区分に沿って、大きく四つのレベルに分類される。村には病気の予防や正常出産の介助に重点を置く保健所、市には入院施設を備えた保健センターが設置されており、各州の州都には州病院、首都ダカールには国立病院が設置されている［Ministère de la Santé et de l'Action sociale 2018］。また、それぞれの施設レベルに応じて医師や看護師が配置され、重篤な病気の場合には、患者をより上位の施設に送ることになっている。セネガル国内には、本調査を実施した二〇〇九年から二〇一〇年の時点で二四の病院が存在し、二二が機能していた［ANSD 2016: 115］。国立病院は首都ダカールに集中しており、周辺国を含む国内外より多くの病人が訪れていた。

私がセネガルで病気の子どもの経験についての質的調査を始めた当時、私は病院や小学校で、何人もの子どもから「病院へ行った時、すぐに門の中へ入れてもらえなかった」、「手当てを受けられなかった」という話を聞いた。そして、自分自身が病院の門前で拒絶される経験をした後には更に、病院や医療が子どもの目にどのように映っているのか、という点が、大人のための福祉や医療を考える上でも極めて重要であると考えるようになった。医療へのアクセスを子どもの視点から考えることは、高い乳幼児死亡率が課題とされながら、子どもが公的な場でほとんど発言権を持たないセネガルでは、特に重要である。[5] 医療はケアの与え手である医療者と受け手である患者が関わる相互行為だが、二者の関係は対等ではない。医師は病気を診断し、治療の進め方を決める主導権を容易に握ることができるが、患者は必ずしもそうではないからである。こうした非対称的な関係は、容易に権力関係に転化する。また、年齢、階級、ジェンダーなど既に存在する従属関係や権力関係が表出する場にもなり得る［上野 二〇一一：七］。医療サービスを受ける患者の経験は、これまであまり論じられてこなかった。というのも、医療の中には強い権威主義があり、患者は恩恵の対象であっても権利の主体ではなかったからである。しかし医療が相互行為である以上、医療を受ける側にとって医療がどのように経験されているのか、という点は重要な問題である。そして病者達の沈黙を超えてその証言を記録することは、医療をより開かれたものへと改善する上で不可欠と考えられる。

子どもとの協働による子ども研究では、「子ども」というマイノリティー集団の言葉にどのように耳を傾け、またその内部にある多様性や脆弱さ、彼らの証言が置かれた特定の文脈をどのように掴むか、という点が課題となる［Bleubond-Langner & Korbin 2007］。確かに子どもは大人と同じように全てを理解している訳では無いが、それでも多くのことを理解している。アフリカの病院利用者の大部分を占める子ども達の視点を拾い上げることは、多様な患者の視点から同地域における医療のあり方を見直すという意味からも必要とされている。

子どもの言葉に耳を傾け、子どもの目から病院を捉える、と言うと、「子どもは本当に現実を理解しているのか」、「子どもは嘘をつかないのか」、などの疑問が呈されることがある。診察室での対話は、これまで主に医師と保護者の間で進められて来た。また社会科学の世界でも、つい二〇世紀の後半までは、子どもを非理性的で言葉による対話が不可能な存在と見なし、科学的な調査の対象とすることは困難だと考えられてきた［James 2007; Sirota 1998］。年功序列による厳しい上下関係が存在する多くのアフリカ諸国では、子どもの発言権が欧米に比べ更に制約される傾向にあり、言語能力の限界とあいまって、アフリカ人の子どもによる病院での経験に関する証言はこれまでほとんど記録されて来なかった。しかし二〇世紀後半以降には、子どもを社会的主体と見なす「子ども学（Childhood Studies）」の波（例えばBleubond-Langner & Korbin 2007; Wells 2009を参照）と「患者中心の医療」を目指す流れを受けて、病気の子どもの視点から医療を捉え直す動きが、アフリカでも始まっている［Jaffré dir. 2019］。子どもは独自の内面世界を持っており、ちょうど人類学者が異文化を研究するのと同様に、子どもの言葉や沈黙から、その内面の経験にアプローチする必要がある。

本章ではこの問題について、三種類のデータをもとに論じる。主となる最初のデータは、二〇一〇年にダカール市内の二つの小学校にて、日本の小学校六年生に相当するCM二学年の児童一八四人（一一歳から一五歳までの男女）を対象に行った質的調査の結果である。子どもが病院に診療に訪れた際の経験を、作文と絵画で表現してもらい、特に重篤な病気（黄熱病、外科手術、喘息等）を経験した子どもに対しては、個別に半構造的インタビューを行った。また、異なる社会経済状況にあるグループを比較する観点から、漁師、工場労働者、小規模なビジネスを営む商人などが住む比較的貧しい漁村に位置する小学校と、比較的裕福で閑静な住宅街にある小学校のそれぞれで調査を行った。子ども達が罹った病気や外傷は多岐に渡り、マラリアや黄熱病などの感染症、喘息、内臓疾患、アレルギー、虫歯、交通事故による骨折などが含まれる。

二番目は、二〇〇九年五月から二〇一〇年二月にかけてダカール市内の国立病院内（以下、B病院）にある小児科病棟にて実施した、患児、家族、医療者の相互作用に関する参与観察とインタビュー調査の結果に基づくデータである。[6] B病院は七五〇床を抱える大学付属病院で、小児科では貧困層を中心に年間約六千人の患児を診療している。この調査では、病気の子どもが来院後に辿る足取り、医師や付き添い家族のやりとり、病気の子ども、医師・看護師、家族それぞれの立場から見た診療のあり方と背景にある社会規範について分析を行った。また、退院後の患児と家族へのインタビューを、セネガル国内と隣国のガンビア、ギニアビサウで実施した。

三番目のデータは、二〇〇九年から二〇一一年の期間、ダカール市にて大人と子どもに対して行った、病気、病院、医療等のテーマに関する幅広いインタビューと観察により得られたデータである。

最後に、今回の研究の限界として、第一番目のデータの対象が首都の小学校に通っている子どもに限定されている点が挙げられる。セネガルでは、全ての子どもが学校に通い、作文や絵を描くことができる訳ではなく、病気になった子どもが必ずしも元気になって自宅に帰ることができる訳ではないことを考えると、今回調査対象となった子どもは比較的恵まれた境遇にあると考えられる。また、病気で入院している子ども達は、病気による痛みに加え、自宅から遠く離れた病院に家族から離れて入院していること、学校に行けないこと、療養費への不安、などの影響からか、言葉が少ない子どもが多かった。従って、本稿で取り上げた小学生の子ども達は、無事に回復して自宅に帰り、病院での出来事を振り返ることができたことにより、比較的自由に自分の思いを語ることができた可能性が高い。読者はこの点に留意しながら読み進めてほしい。

二　子どもが語る「病院」

ダカールの国立病院では、病院利用者は正門から自由に出入りすることができない。平日の午後や週末などの決まった時間帯を除き、訪問者や外出する入院者は看護師長等の署名が入った入退院許可証、もしくはこれに代わる何らかの証明書を、病院の門の脇に控えている守衛に提示しなければならない。国立プランシパル病院の「入院の手引き」[Hôpital Principal 2004] によれば、患者の休息と診療を適切に実施する観点から、外部からの訪問は毎日一七時四五分から二〇時までの間と定められており、これ以外の時間帯については医師の許可が必要、と記載されている。

図2　閉じられた病院の門の前に座り込む病気の子ども（14歳、男児、色鉛筆）

こうした制度は他国にも見られ、療養を目的とした病院の性質上、必要なルールとも考えられる。しかし病気の子どもが診療のために病院に入ることを拒否されるとすれば、そこには公式のルールとは異なる別の規範が存在することになる。

セネガルでは、病気になっても診療費が払えない、病院が遠く移動手段が無いなどの理由から、病院にたどり着けない子どもが圧倒的に多い[7]。しかし病院に到着した後も、病院の門をくぐり実際に診察や治療を受けられるまでには、様々な障壁が存在する。ここでは子ども達の証言を通じ、病者（病気の人を主体者として、かつ病気以外のアイデンティティーも含めて捉える概念）が病院の利用を拒否される背景を、（一）診察料と貧困、（二）医療者と病者の関係、（三）病院内の権力関係、という三つの観点から分析する。

1　病院への「入場料」

病院で診療を受けるためには、患者は病院の入り口でまず診察料を払い、人々が「切符」と呼んでいる受診票（ticket de consultation）を受け取らなければならない。こうした費用は、貧しい人々が公立病院のサービスを利用する上での障壁となっている[8]。多くの子ども達はこの「診察料」の存在を知っており、作文やインタビューの中でもしばしば言及がなされた。

(1)「誰もその人を助けなかった」——ソフナの証言

全ての病人が診察料を払える訳ではない。ソフナという富裕層地区出身の少女は、病気で病院を訪れた時に門の前で出会った病者達のことを、次のように語った。

ソフナ：「病院の門の前で、体が動かなくなった病人達が、お金がなくて病院に入れてもらえないでいる様子が見えた。歌いながら、道ゆく人に助けを求めていた。」
人類学者：「誰か助ける人はいた？」
ソフナ：「ううん（いなかった）。」
人類学者：「その人達を見てどう思った？」
ソフナ：「助けられなくて悲しかった。」（インタビュー、一二歳、女児）

ここではまず、診察料が貧しい病者が必要な診療を受ける際の障壁となっている。しかし、経済的な欠乏のみが障壁なのではない。公立病院の前で物乞いをしているこの男を、国家も、家族も、彼が属する村の人間も、道ゆく人も、誰も助けなかったという事実が、この人物の社会的孤立、すなわち困った時に手を差し伸べる他者との関係（社会資本）の不在を物語っている。さらには、貧しい者同士が必ずしも連帯している訳ではない。ダカール郊外で貧困層の状況を調べたセネガル人社会学者ファル［Fall 2007: 174-177］は、身体障害者の夫、第二夫人および一〇人の子どもと赤貧生活を送るマイという女が、失明し動かなくなった三歳の息子を連れて保健所を訪れる様子を描いている。保健所の医療者達は、母親がお金を持っていないことを知り、また重症の子どもがそのまま病院で死ぬことを恐れ、母親に別の保健所へ行くよう伝える。このように医療者たちは、一旦は薬代を払えないマイを相手にせず突き放すが、送られた先の保健所の関係者たちは、死んだように動かない子どもを連れた母親に、自らのポケットから診療費の一部を与える。この間、夫や第二夫人は全く関与しない。全くの赤貧の状態にあって、マイとその子どもの生存は、見知らぬ医療者からの偶然の親切に全面的に依存している。

実際はどうか。B病院の門前では、よく二人ほどの病者が物乞いをしていた。そのうちの一人、くたびれた綿の衣に身を包み、アスファルトの地面に座り込んだ中年の男は、祈るかのように言葉を唱えながら、ジャラジャラと小銭の入った洗面器を体の前で揺すり続けていた。よく聞くと、助けを求めている。小銭同士がぶつかる金属音と、男の干高い声が、側を通り過ぎる者の耳に突き刺さる。しかし町の病院の門前は人や車通りが多く、常に様々な音が混じり合っている。バスが通り過ぎる音、病院の前の道端に並ぶ露天の物売り（果物、即席のサンドウィッチ、マットレスなど様々なものが路上で売られている）や、人々のざわめき。男の声はいつしかこれらの音に溶け込んで、病院という風景の一部となっていた。

(2)「僕は病院の門の前で物乞いをした」――ムスタファの証言

子ども自身がこうした排除に直面することもある。ムスタファという一二歳の少年は、海辺にある漁村の小学校に通っている。彼は、マラリアで病院へ行った時の経験を以下のように綴った。

「去年僕は、アナフェットという蚊のせいで病気になりました。雨季で蚊がいて、刺されたのです。人々は病人（である僕）を（病院へ）運ぼうとしましたが、交通手段が何もありません。手押しの荷車があったので、僕はそこに乗せられました。でも道はでこぼこで、小さな石がいくつもあったので、手押し車は何度も（おかしな方向に）動きました。病院の門に着くと、守衛たちは僕らを中に入れようとしませんでした。（病院に入るための）切符を買うお金を持っていなかったからです。僕たちは切符を買うために物乞いをしなければなりませんでした。（…）診療の後、僕はもと来た道を手押し車に乗って帰りました。でも僕は納得できません。政府は（家の近くに）保健所を建て、救急車を買って、蚊を予防する防虫剤が入った蚊帳を配るべきだと思うからです。」（作文、一二歳、男児）

少年の家庭の貧しさが、家族が病院までの交通費をまかなえずに手押しの荷車で少年を運んだ様子や、「切符」を買うのに必要なお金を払えなかった事実に現れている。門の側にいた守衛達は、少年とその家族が困っている様子を目にしたが、無関心を装って声をかけなかった。ムスタファは、最後には病院で必要な手当てを受けることができたものの、彼の生命や人生もまた、他人からお金を恵んでもらえるかどうか、という偶然に託されている。一二歳の少年は、貧しい病人が公立病院ですら必要な診療を受けられない現実に、怒りの気持ちを表現している。

2 「金が無い奴には誰も触らない」――ブバカールとビランの証言

病院の門をくぐってからも、病人は安心してはいられない。ブバカールという一二歳の少年は、会社員の父親を持つ比較的裕福な家庭の出身で、二年前に階段から落ち腕を折って入院した時には、テレビのある個室で父親に付き添われて快適な入院生活を過ごした。彼は、病院についてのインタビューで以下のように述べた。

「病院で嫌だったのは、看護師さんが貧しい人にベッドを使わせなかったこと。（…）お金を持っていないと、家に帰るように言われていた。お金持ちの人が来たら、（看護師は病人に）ベッドを使わせてあげていた。」（インタビュー、一二歳、男児）

図3　「『ああ！僕は病気だ』　小児科病棟に入院した重篤な病気の子ども」（13歳、男児、色鉛筆）

お金がなければ、公立病院で提供される公的医療とはいえ、生き伸びるために必要な手当てを受けることはできない。

救急で運ばれた子ども自身が、病院関係者の拒絶に向き合わなければならないこともある。ビランという一三歳の少年は、自宅近くで無免許運転の車に轢かれ、足を骨折した。しかし、血だらけで痛みに涙を流しながら病院に到着した少年を待っていたのは、医師ではなかった。

ビラン：「病院に着いた時、お金がないなら触らないって言われた。」

人類学者：「誰がそう言ったの？」

ビラン：「看護師。」

人類学者：「どう思った？」

ビラン：「意地悪だと思った。」

幸い、ビランの父親と叔父がすぐに病院に到着した。

ビラン：「お父さんと叔父さんが『お金は払う』と言ったら、看護師達はすぐに僕の手当てを始めた。」（インタビュー、一三歳、男児）

ビランは病院へ向かう道すがら、これからは一生車椅子に乗ったままで、二度と歩けるようにはならない、学校にはもう帰れない、と思ったことを私に話した。

このように、子ども達は毎日の生活の中で貧困と排除を体験している。そして、人間として守られるべきものが守られない現実に、憤りを感じている。

セネガルでは、大多数の人が健康保険に加入していない。だから、病人は病院で診療を受ける前に、現金で費用の全額を払わなければならない。それができなければ、いくら緊急の深刻な状態であっても、医療者は診療を行わない。これまでの事例から、病院内でのある原則が明らかになる。すなわち「治療に必要なお金を払えない病人には、誰も触らない」というものだ。初めての緊急事態であれば、気の毒に思った医療者が必要な医薬品を前借りさせてくれることもあるかもしれない。しかし、二回目はあり得ない［Fall 2007: 173-200］。

実際には、医療者達も、医療費を払えず治療を受けられない患者達を見て心を痛め、可能な限り自らのポケットマネーや仲間からのカンパで賄おうと努力している。(9) しかし医療費を払えない貧しい病人は、文字通り絶え間なくやってくる。国民の半分以上が貧困線以下の収入で生活し、健康保険に加入している者はまだわずか、という現実の前に、個人の良心や慈善の取り組みは簡単に挫折する。そして人の苦しみに共感すれば、自らもまた苦しみを味わう。さらには、目の前にある生死を巡る問題の解決策は、容易には見つからない。こうした状況を考慮すれば、一見患者に無関心、もしくは機械的にさえ見える医療者の反応は、自らを感情的な疲労から守るための防衛策と解釈することもできる。

ダカールの病院で病気の子どもを抱えた大人達は、しばしば次の言葉を繰り返した。

「金が無い奴は死ぬんだよ。」

「金が無い奴には誰も触らない。」

こうして医療費を払えない、もしくは病院までの交通費すら賄えない貧困層は、身近に売られているお守りなどの安価で「身の丈にあった」ケアを探す［Fall 2007: 174-175］か、手当てそのものを諦めることになる。この現象は、Le Breton［一九九五］が言う「社会的に排除され、極貧の中で生きてゆくことを余儀なくされている人々は、痛みや苦しみへの手当てをもはやしなくなる」という理論を証明するものだ。

図4 「病気になり病院へ向かう子ども」（11歳、男児、色鉛筆）

3 病院で「外人」になる――都市の文脈における医師と患者の距離

ダカールの病院では、病院の通行許可証を持たない一般患者の場合、知り合いの医師もしくは看護師に門まで迎えに来てもらい、病人が誰で何のために来たのか、なぜ病院に入る必要があるのか、を守衛に説明し説得してもらわなければ病院に入ることができない。富裕層地区に住む一三歳の少女、マムは次のように証言した。

「去年、私は病気になりました。虫歯になったのです。虫歯とは、歯のエナメル質が破れる病気です。その日、私は病院へ行きました。ダカールのC病院でした。たくさんの病人がいました。（…）私達は病院に入りたいと思いましたが、守衛が病院に入ろうとした私達を止めました。しばらくすると、守衛が私と母に病院に入るよう言いました。母は、医師のサール先生が来るように言ったのです、と守衛に説明しました。しばら

くして私達は病院の中に入りました。」（作文、一三歳、女児）

都市部の病院には、地方の村や町の保健所で治療を受けたが回復せず、専門医の診療を求めてやってくる患者も多い。しかし既に見たように、ダカールの病院で診療を受けるためには、病院関係者との社会的・感情的な親密さが築かれているかどうかが鍵となる。知り合いでなければ、容易に無視され排除されるかもしれないからだ。他方、人間関係が希薄な都市で社会関係を構築することは容易ではない。更には、地方の村人が町の病院の医師と知り合いである可能性は、町の住民以上に低い。

サジョという若いガンビア人の母親は、網膜癌に冒された五歳の息子を連れてダカールの病院の門を叩いたが、医師との最初の予約を取り付けるまでに、一ヶ月もの時間を要した。既に自国の病院から検査結果の写しを持参し、ダカール住民の共通語であるウォロフ語も話すことができたが、病院内に知り合いがおらず、誰も病院の中での手続きを教えてくれる者がいなかった、と母親は語った。到着から七ヶ月後に「これ以上の治療はできない」と医師に宣言され、絶望したサジョが病院を去った後、看護師の一人は「（あの母親は）ダカールに知り合いが全然いないから病院を出て行ったの。夫がダカールにいなくて独りぼっちだったから」と述べた。

病院は全ての利用者を同様に扱う訳では無い。病院の関係者をあらかじめ知らなければ、無視されてしまう。そして病院関係者との個人的関係、という社会的資源もまた、病院利用者の間で平等に配分されてはいない。

病院から排除されるのは外国人とは限らない。ファンタは、ダカールの北東一五〇キロの地点にある農村に住む一〇歳の少女である。少女の膝は今日大きく内側に曲がっており、杖を持たずに自分で歩いたり、他の村の少女達と一緒に大好きなサッカーに加わることはもはやできない。ファンタは二年前、村の中の道を横切った際に、走って来た乗り合いタクシーに轢かれて骨折した。そして家族に連れられて近所の保健所を二軒回った後も、痛みが引かないため、祖母におぶわれて乗り合いタクシーに乗り、村から六〇キロ行ったところにあるティエス州立病院に運ばれた。少女は当時の様子を以下のように語った。

「(州病院に)二回診察の予約を入れて(病院で)一日中待っていたけれど、診てもらえなかった。おばあさんと私は、待っても待っても何もしてもらえなくて、全てが嫌になった時、(帰り道の)ティエスのバスターミナルに伝統的な治療をする人がいたの。私はそこに連れて行かれたの。」(インタビュー、一二歳、女児)

少女があまりの足の痛みに耐えかねたために、家族はファンタを「治療師」のもとへ連れて行った。治療師は少女の足をベルトのようなもので締め上げたが、二週間ほど経つと足にはたくさんの傷ができ、少女は痒いのを我慢できずにかきむしった。ファンタは足が痛いと夜も泣き続け、とうとう大人達はベルトを外さなければならなかった。ファンタはその後も州病院へ出かけたが、暫くしてやっと面会した小児科医の最終的な所見は「手術は不要」というものだった。少女の母親は、娘が病院で検査を受けるために一〇万CFAフラン(当時のレートで約二万四五〇〇円)を払った時の領収書を見せて「たくさんお金を払ったけれど、病院では診察を受けるための切符をくれただけだった」と述べた。一〇万CFAフランは農村の豊かとは言えない家庭で工面するには大きな金額であり、その後も家計に影響を及ぼし続けた。今日、少女は杖無しには自由に歩くことすらできなくなった。更には、ファンタとその家族の経験は、村人達が病院と公的医療に寄せる信頼を大きく損なう結果を生んだ。

中産階級の家庭の子どもであっても、病院前での選別を免れることは難しい[10]。アワは富裕層の居住地域に住む一二歳の少女である。父親は外資系企業に勤務し、母親は隣国マリにあるセネガル人商業者協会の会長を務めている。アワは、ある日腹痛のため叔母に付き添われて病院へ行った時のことを、次のように語った。

「私たち、タクシーに乗って行ったんだよ。出発する前には、叔母さんがお医者さんに電話をかけて診察の予約を入れてくれたの。でも私たちが病院の門に着いた時、守衛さんが中に入ってはいけないと言って、私たちを門から通さなかったの。（…）守衛さんは、私たちに待っていなさいと言った。（…）叔母さんが、病院に来る前にもうお医者さんに電話をしたと言っても、聞いてくれなかった。（…）私はお腹がとても痛くて我慢ができなくて、門の前で横になったの。（…）叔母さんはもう一度お医者さんに電話をかけたけど、お医者はすぐには来てくれなかった。（…）お医者さんは一時間後にやっと来たの。お医者さんが門まで私たちを探しにやってきて、私たちは病院に入れたの。守衛さんは、私のことを病気だとは知らなかった、なんて言ってたけど。（…）私、あの日自分に起きたことが忘れられなくて。いつもこの事を思い出すの。」

「どう思った?」

「すごく腹が立った。お医者さんがすぐにやって来なかったから。あそこでは守衛ですらお医者さんみたいなの。お医者さんみたいな白衣を着ているの!」（インタビュー、一二歳、女児）

少女の記憶には、正義に反して理不尽な目に遭わされたという感情が深く刻まれていた。アワの目には、白衣が病院の内と外の境界線を示し、医師による権力と病院での診療を受けられる者とそうでない者を選別する力を象徴していた。少女は守衛に対してではなく、すぐにやって来なかった医師に対して憤っていた。彼女は、自分に起きた出来事の責任は医師にあると判断していたのである。

しかし、全ての子どもがこんな経験をする訳では無い。アッサという比較的裕福な地区出身の一二歳の少女は、水ぼうそうになった時、ビジネスマンである父親の車で、急いで病院へと運ばれた。

「お父さんが守衛さん達に挨拶すると、（門を）通してくれました。」（インタビュー、一二歳、女児）

父親が自家用車で病気の娘を病院まで連れて行った、という事実が、既にこの家族の社会的ステータスを物語っている。加えて、守衛達は少女の父親を既知の人物として認識し、扉を開けたのだった。

これまでに挙げた事例は、様々な家庭環境から来た子ども達が、生きる上で必要不可欠な診療や手当てを病院で受けるまでに直面した、様々な障壁を示している。これらの障壁は、自宅から病院までの物理的な距離にとどまらない。貧困、医師と患者の権威的な上下関係、それを肯定する価値観、官僚主義的ルール（例えば、個別の患者の緊急性に配慮せず、全ての患者を締め出す守衛の対応がこれに当たる）、もしくは「これまでいつもこうして来たから」という慣例主義、そして医療からこぼれ落ちる人々を無言のうちに容認する制度や政策など、都市の日常生活を構成する様々な障壁が存在する。こうした観点からは、病院の門を制御するという行為は、単なる事務的・機械的な行為ではなく、権力関係や貧困格差に関わる問題をはらんでおり、守衛や医師の意思や意図を以て、もしくは意思を伴わない反射的な行為として、公式のルールとは別の「現場の規範」[Olivier de Sardan 2008] を体現している。

都市以外での状況はどうだろうか。セネガル東南部にあるタンバクンダ州の保健センターで、看護師としてボランティアをしていたN（三〇歳、男性）は、地方の保健医療施設では、ファンタが経験したように患者を無視する、といった対応は考えられないと述べた。小さなコミュニティーでは皆が知り合いなので、施設や自分の評判を落とすようなことは決してしない、というのがNの主張である。むしろ、患者達が時間外にやって来ても医療者は診療を断ることができず、時間外労働が深刻な問題になっていた。そこでNは、医療者達に保健センターの開所時間を入り口に掲示し、時間外の患者は受け付けないことを提案したが、Nの同僚達は、そんな対応はとても実行できないと述べた。ここで示されているのは、ダカールやティエスのような都市の病院と地方の保健医療施設では、医療者と病者の社会的・身体的距離が異なっており、二者の関係性とケアへのアクセスと質の違いにも影響を与えているという点である。地方では、医療者と患者の関係はしばしば同じコミュニティーの一員であり、医療者は病者に対し信頼に基づいた行動が要求される。他方で、人口密度が高く医療者が遠方より通勤して来る都市の病院では、医療者と患者の関係に最初から個人的な親密さが紛れることは稀であり、医師から病者への権威的・官僚主義的な対応が許される土壌を生み出すのである。(11)

4　守衛はなぜ門を開けないのか？――病院内の権力関係

これまでに示された事例では、子ども達が共通して病院の門前で守衛に中へ入るのを拒否された経験を語った。もっとも、大概は長い待ち時間の後に中へ入れてもらえたケースである。なぜ守衛は、病人を院内へ入れることを拒否するのだろうか。この現象をよく調べてみると、守衛の態度や行動には、医師の権威が重要な影響力を及ぼしていることが分かる。そしてその結果は、時に深刻な事態を引き起こす。

イドリサは、ダカール市内のマンションで守衛として働く二八歳の男である。数年前、ファティーク州(12)の村から仕事を求めてこの都市（まち）にやって来た。イドリサは数年前、夜の交通事故で大怪我をした隣人を州病院まで付き添った経験を、次にように述べた。

イドリサ：「俺がまだファティークの両親の家に住んでいた頃、交通事故があって、近所の知り合いが怪我をしてね。それで、夜だったけど車で病院へ運んだんだ。でも、病院の門に着いたら守衛が出てきて、『夜だから中には入れない』って言うのさ。俺はものすごく腹が立ってさ。だって、夜だって当直の医者はいるだろ。俺達はものすごく緊急なんだってこの守衛に説明したんだけど、奴は話を聞かない。それで（病院の門を）通してくれなかった。」

人類学者：「でも、見れば事故の怪我人だってすぐに分かるでしょ？」

イドリサ：「奴は分かってたさ。でも通してくれなかった。夜医者を起こすと怒られるからとか、何とか言うんだよ。でもそれは俺達には関係ない。あっちの内部の問題さ。」

人類学者：「そうなの…？　それでどうしたの？」

イドリサ：「まあ、最後は知事を呼び出したのさ。」

イドリサ達は門前で三時間待った後、到着した知事の口添えで、やっと病人を病院内に運び込むことを許されたのだった。

イドリサ：「知事がやってきて病人を見てから、守衛に『病院の中に運んで、治療しないと。』って言ったのさ。まあそれが…それが普通だよ！（…）守衛は『緊急の怪我人だとは知らなかった』とか何とか言ってたよ。そんな風に嘘ついたのさ。だから次の日、警察に突き出してやった。（…）どっちにしても、病院が緊急の怪我人をこんな風に拒否するなんて、普通じゃないと俺は思うよ。」（インタビュー）

当直医には、緊急の病人を治療する責任がある。それでも、州病院の守衛が交通事故で周辺の村から運ばれて来た急患を拒否した背景には、この守衛にとっては、見知らぬ村人との関係より当直医との関係の方が重要だった、という事情が考えられる。夜間の病院は人気が少なく、衆人監視の目は限られている。それが生死をかけた交渉を包む不透明な霧の色を更に深くする。同様の事例は他国でも報告されている。人類学者のジャロとカマラ［Diallo & Camara, 2003: 412-416］は、セネガルの隣国であるギニアの首都、コナクリの保健センター内にある産科病棟での一夜の様子を描いている。その詳細な記録には、無資格の雑務係の女性が、当直の助産師を起こさないように気を遣いながら妊婦の介助を代行する様子、そしてお産の最中で動けない妊婦に、法外な価格の薬を買うよう強く勧め、無理やりに取り引きをする様子が描かれている。このような医師を頂点とした権威構造と、これに伴う治療の拒否や資格のない病院関係者への役割の委任、といった障壁を可能な限り早く飛び越える手段として、イドリサは医師や守衛よりも更に影響力のある人物を呼び出す必要に駆られた。すなわち、知事を夜の病院の門前に呼び出すに至ったのである。

病院関係者（例えば、医師と守衛）の間や医療者と患者の間にある権威主義的関係により、病院サービスへのアクセスと質が低下する現象は、西アフリカの病院において広く観察されている［Jaffré & Olivier de Sardan, 2003 ; Ida, 2016］。そしてその背景には、個人レベルでの無関心や怠惰、知識や能力の不足を超えた、ある種の法則と価値観の存在がある。守衛が、そしてその背後にいる医療者が、夜間の急患を拒否することは、ある行動規範においては（社会の全員には共有されていないにしろ）、むしろ正当化されているのである。病人が病院関係者との関係でより弱い立場に置かれているとすれば、守衛もまた医療者に対してより弱い立場に置かれているのであり、守衛の行動は、こうした文脈の中で理解されなければならない。特に、守衛が病人に対して取る態度の背景には、医師に対する患者の弱い立場と共に、自分の上司である医師と自分自身の関係が反映されている。また、守衛にとって病人達を門外に締め出すことは、毎日のルーチンワークの一部であり、病院内の「現場の規範」に沿った適正な行動と見なされている。

締め出された病人達が守衛の態度について、いくら社会的公正に反すると感じたとしても、である。

三　病院の門をくぐる（人類学者の経験と医師の視点）

著者自身も、B病院の門前で、他の病者達と同様に中へ入ることを拒否された経験がある。まだ本格的な調査を始める少し前のことだ。私はその日、病院内でがんの子ども達向けにボランティア活動をしている女性と会う約束があり、歩いて病院の入り口へと向かった。しかし守衛は、「そんな活動は知らない」「別の門から入るように」と言うばかりで（私はその後、病院には門が一つしかないことを知った）、私の周りに群がって守衛と話す順番を待っていた多数の病者達と同様、混乱と落胆の中、割り切れない気持ちで帰宅せざるを得なかった。その当時は、守衛が途方もなく強い権力を持っているように感じた。納得できなかったが、何もできなかった。後で考えると、私が訪問した時間は見舞客の入場を制限している時間帯に重なっていたのだが、当時はルールが見える場所に掲示されておらず、私はなぜ病院には入れないのかが分からずに困惑し深く悩んだ。

しかしその同じ守衛が、別の日に関連大学医学部の教授が運転する車に同乗し病院を訪問した際には、即座に門を開けて通してくれた。更に、私がその病院で働く学生（実際は、調査を行う研究者だったが）として守衛に認識されて以降は、私は門を自由に通ることができるようになった。病院内では、小児癌科の診療科長から貸与された白衣を着て活動していたため、私は他の研修医とほぼ同様に扱われた。院内ではアジア系の関係者は私一人で、かつ院内でアジア系の関係者を受け入れたのも初めてだったことから、私の顔を覚えやすかったこともあるだろう。同伴する人間によって、また時間の経過とともに、病院内における私の立ち位置が「見知らぬよそ者」から有力者と繋がった内部関係者へと変化し、守衛の態度も変化したのだった。

上記から、病院の門をくぐるためには、二つの条件があると考えられる。第一に、権威ある病院関係者と関係があること。第二には、守衛自身に馴染みの人間だと認識されるようになること、である。私の場合には、時間の経過とともにこれらの問題は解決された。しかし緊急で突然病院に到着した病人達にとって、これらの問題を乗り越えるのは容易ではない。

医師の権威は、病棟で働く看護師の行動や、医師と看護師からなる医療チームがチームとして提供するケアの質にも影響を与える。小児科病棟での観察からは、例えば、針を用いて背中から髄液を採取する「腰椎穿刺」と呼ばれる検査の際、経験のある研修医が、小児癌で長く病棟に入院している馴染みの患児の痛みを軽減するべく配慮を示すと、看護師もまた子どもが動かないよう姿勢を固定するなどして、質の高いケアを行うべく呼応した動きを見せる。しかし着任したばかりで経験の浅い研修医が、決まった手順から外れ、泣き叫ぶ子どもの背中に繰り返し針を刺して失敗した場合には、同じ看護師であっても、医師の行動に合わせるかのように子どもを固定せずに傍観するケースが見られる。このように、医師の行動は他の医療者や医療チーム全体の行動と倫理意識にも影響を与えていると解釈できる。

また、医師や看護師をはじめとする病院関係者は、小児癌や糖尿病などの慢性病により長期にわたり治療を受けている子ども達やその家族と密接な人間関係を構築しており、このカテゴリーに属する子どもと家族に対しては、治療の際に生じる痛みや時間の無駄などにより注意を払うようになる。子ども達もまた、病院に通う中で治療に関する経験や知識を身につけるとともに、見知らぬ病院関係者や病院という異空間に慣れてゆく。こうして、医療者と患者の双方が時間の経過と経験を経て変化する流動的な状況の中で展開する相互作用が、子ども達の経験する病院でのケアのあり方に影響を与えていると考えられる。

それでは、患者が門前払いされる現状を、病院関係者はどのように受け止めるのだろうか。患者が病院の門を容易に通過できないという問題について、筆者は病院での調査を始めた当初、関連大学の医学部で教鞭をとり大学病院で診療を行っていたある教授に相談を行った。教授は「なぜ門から入れないのか」と不思議な顔をして答え、守衛に見せる通行証を入手できないか、という私の相談には首を縦に振らなかった。病棟でも、複数の医師に門を通過するための必要書類について質問したが、同様の反応であった。すなわち医師自身は、こうした自分の特権に気がついていないことが多い。

これはセネガルでのみ観察される現象ではない。ジャロとカマラ［Diallo & Camara 2003: 425-428］は、ギニアの首都コナクリの保健センターに、タクシーで急病の患者を運んで来た家族と医療関係者の相互作用を次のように描写している。その日、重症の病人を連れて保健センターに到着した家族たちは、目当ての医療者が不在と知り、落胆する。受付係は素っ気なく患者をタクシーから降ろすように言い、研修医は側で一部始終を眺めながらも談笑を続ける。家族達が、知り合いのいない保健センターではろくな手当ては受けられないと考え、次の保健センターを目指そうかどうか迷っていたその時、偶然通りかかった医師が重病人に気がついて声をあげる。「緊急事態だ！（受付係に）病人を運ぶのを手伝って、私の診察室に運んでくれ！」医師の声に、それまで状況を傍観していた二人の受付係は、慌てて駆けつけて病人を運び、そばにいた研修医も保健センターの入り口の扉を開けて彼らを通す。保健センター内の関係者にとって、見知らぬ患者は社会関係上「存在しない存在」であり、病人は常にケアを受けられずに放置される危険を伴う。他方で、病院内での医師と非医療者、医師と研修医の上下関係はほぼ絶対視されており、その命令を無視することは許されない。コナクリの保健センターに運ばれた病人は、良心的な医師との邂逅と、これら二つの異なる社会規範が交差し後者の影響力が勝ったことで、偶然救われた。このように、医師が全ての見知らぬ患者を拒否している訳ではない。医師、看護師、守衛など病院内の権力関係を構成する関係者達の思惑はそれぞれに異なっており、偶然の状況展開と互いの行動に影響を受けながら、病者と向き合っている。医療者と患者の関係もまた、強い権威主義の枠組みの中に位置付けられつつも、常に流動的なのである。

四　考察――「もう一つの視点」が示す公的医療の課題と無関心の代償

本章では、なぜダカールの子ども達は病院に入ることを拒否されるのか、という問いを端緒として、公的医療サービスへのアクセスと排除のメカニズムについて、通常は意見を求められることのない子ども利用者の視点から検討を行った。

子ども達の証言からは、大きく次の三つの点が明らかとなった。第一には、診察料や治療費を払えない貧困層の子どもや大人が、事実上病院サービスから排除されている現状が挙げられる。子どもたちは、それぞれの家庭の貧富の差に関わらず、こうした医療のあり方に疑問と憤りを感じている。更には、家族がいない子どもは病院にたどり着くことすら難しいことから、ダカールの病院における「貧しい」という言葉の意味は、経済面での困窮のみならず、困った時に助けてくれる家族や医療者がいない、という社会関係における困窮をも含んでいると言える。

病気になっても医療サービスを受けられない貧困者の存在は、セネガル固有の問題ではない。新型コロナウイルス感染症の拡大と共に日本国内の完全失業者数が一九五万人を超えた二〇二〇年一一月［総務省統計局　二〇二〇］、埼玉県川口市で行われた困窮した外国人のための生活相談会には、在留資格の無いクルド人を中心に百人以上の人が訪れ、所持金がない、健康保険への加入資格が無いために病院を受診できない、食べるものが無い、などの訴えが寄せられた［Harbor Business Online 2020］。困窮者の多くが社会的に孤立している点も、これらの事例に共通している。全ての人に開かれているはずの公的医療制度が内包する貧困者排除のメカニズムが問われている。

第二には、乏しい人員と限られた資材・設備の下で働く医師達が、守衛を通じて病院の門の開け閉めを管理することで、キャパシティーを超える数の患者が受診しないよう、また当直の医療者が夜眠れるよう、防波堤が築かれている点が挙げられる。このシステムは公式文書に明文化されることなく現場の規範として厳格に適用され、セネガル社会・病院内にある「医師と患者」、「大人と子ども」、そして「医師と非医療職」、という権威的な上下関係に支えられ、事実上の制度として運用・維持されている。

しかし、手当ての遅れが人間の生死をも左右する医療現場で、この規範は人間としての医療者の感情や責任感、患者との個人的関係という文脈の中で、柔軟に制度の例外を作り出す。こうして、病気の子ども達が病院の門をくぐり、必要な診療を適時に受けられるか否かは、病者と医療者の個人的繋がりの強さに左右される（第三の点）。医療者は、個人的関係に基づいて診療の対象者を選別する傾向にあり、その前では、時にお金を持っていることすらも無意味になる。こうした社会関係に基づく医療サービスからの排除は、医療者を含む村人同士が互いを熟知する農村部の村では観察されず、患者数が多く医療者と患者の関係が希薄な都市に見られる傾向がある。そして、特に地方や外国からダカールのような比較的大きな町の大病院にやって来た患者達は、病院の医療者との縁故や事前の面識がないために排除の対象になりやすい。他方、医師、特に研修医は、都市と地方の病院に持ち回りで配属されることから、こうした排除は個人的な意図によるものとは考えにくく、病院が置かれている環境、並びに社会の価値観や関係性の中から規範が構築されていると考えられる。

このようにダカールの病院では、公的医療が全ての人に平等には開かれておらず、病院サービスへのアクセスは、個人の経済状況と社会資本（病院関係者や周囲の支援者との人間関係）に大きく依存している。逆に言えば、医療資源が絶対的に不足する病院環境において、貧困者における医療へのアクセスは個々の医療者の善意に大きく依存している。B病院のある研修医は、「この病院に来た時、大学の教科書に書かれていた病院の様子と全く違っていて驚いた」と述べた。西アフリカの公立病院では、多くの医師や看護師が、診療費を払えない患者のためにポケットマネーで薬代や検査料を立て替えた経験を持っている。そして同時に、こうした善意には限りがあることを認識し、救うことのできる子どもの命が目の前で失われる現実に深く傷ついている。その意味では、医療が個人の人間関係に左右される背景には医療者が置かれる厳しい執務環境が存在し、医療者が患者との距離を保つ流儀や規範は、彼等が自らの心を守る防波堤の役割を果たしているとも言える。

他方、都市の病院で働く医師が、見知らぬ患者を全て拒否している訳ではない。医師と患者の関係は、セネガル都市部の病院における排他性と厳しい上下関係の中に置かれているが、病院内の医師、看護師、守衛等の間での権力関係や、それぞれの病院関係者と患者の間で個々に展開する相互作用や関係の変化、より強い権力を持つ外部者の介入や時間の経過、偶然の状況にも左右されつつ、常に流動的に展開する。例えば、初診時には無言で注射を始める看護師に不安な顔を見せた少女であっても、入院して一週間が経過した頃には病院に慣れ、医療者とも顔馴染みになって痛みや不安が軽減するケースが見られる。

こうした病院のあり方について、子ども達は社会正義に反すると異口同音に異議を申し立て、同時により弱い立場にある他者への共感を示した。子ども達が語った経験は、実際には大人を含む全ての人に当てはまる。そして医療からの排除と排除される者への無関心の代償は、決して小さくない。その意味で、病院利用者としての子ども達の視点は、公的医療を考える上での多様な視点の重要性を示している。

全ての人が健康になる権利を持つ、という観点からは、人間の生存や健康に関する公的サービス（中でも保健医療）は、本来全ての人に開かれているべきものであり、貧困層が排除され、個々の人間関係がケアへのアクセスや質に影響を与える状況は、制度の面から修正されなければならない。他方で、年齢と権威に基づく上下関係は、セネガル社会における社会関係の基礎をなしており［Sylla 1994 [1978]］、医療が人と人の関わりによるケアを前提としている以上、社会的関係や社会が持つ価値観から逃れることはできない。そして、本来あるべき「公的規範」から逸脱する形で「現場の規範」が強く押し出される背景には、現在の病院において公的サービスとしての医療が成り立たない環境の存在も指摘される。大学病院の運営は現在、ほぼ全面的に、経験が限られわずかな給与で働く研修医に依存しており、必要な医療機器や薬剤、人材が不足する脆弱な体制で、日々多数の患者を診療しなければならない圧力に見舞われている。診察料や検査料、治療費が払えず行き詰まる多くの貧困者を目の前にして医療者自身も疲弊しており、ポケットマネーで患者を助けようとする者がいる一方で、あまりに多くの人が困窮し必要な治療が受けられない現状を個人の力で変えることは難しいと考える医師も多い。本章では病院利用者である子どもに焦点を当てたが、将来は医療者側の事情にも光を当て、新たな「現場の規範」の醸成に向けて、公的サービスが提供される環境をも改善してゆく必要がある。また、年長者への絶対服従を重視するセネガル社会および家族社会の文脈では、子どもはほぼ全く発言権を持っていない。しかし子ども達もまた、この現実を病院利用者として理解し自らの考えを持っているのであり、今回のように積極的に調査への参加を得ることで、医療全般の改善に役立てることができる。

病院に代表される医療資源の逼迫と、貧困者を含めた公的医療へのアクセスをいかに両立するか、という問題は、二〇二〇年以降の新型コロナウイルス感染症に対する世界各地での対応を通じて、世界共通の目に見える課題となった。子どもを含む多様な病院利用者の視点から、社会関係の分析を通じて医療現場でのケアのあり方を分析する手法は、その政策的回答を探る上での一つの重要なアプローチと考えられる。

注

（1）セネガル共和国は人口約一六三〇万人、一人当たりの国民総所得が一四六〇ドルの低中所得国（調査を実施した二〇〇九年当時は一三四〇ドル）。一五歳未満の子どもが人口に占める割合は約四三％で、過去一〇年大きな変化は見られない［World Bank 2020a］。一九六〇年に旧宗主国であるフランスより独立した。公用語は仏語で、イスラム教徒が人口の九四％を占める

［ANSD & ICF International 2012］。主要産業は農業と漁業。出生時の平均余命は六八歳、二〇〇九年時点では六四歳［World Bank 2020a］。

（2）この論文に登場する人名は全て仮名とした。本名に見られるイスラム教やキリスト教、伝統名などのニュアンスは仮名にも反映した。

（3）子どもの作文やインタビュー結果は、仏語または現地語であるウォロフ語から和訳した。原文の明らかな誤字脱字や文章の誤りについては、意味が通じるよう最小限の修正もしくは補足を行った。

（4）本稿は、二〇〇九年五月から二〇一〇年七月にかけて、ダカール市内の国立病院と二つの小学校で実施された質的調査の結果に基づいている。統計データは調査当時のものを中心に提示しつつ、必要に応じ現時点のデータを合わせて示した。

（5）過去、医学では医師の視点に基く病気の分析が中心をなしていた。しかし二〇世紀後半以降は、患者の「語り」（ナラティヴ）を重視し、病気を患者の人生に位置付けて理解する、医療人類学や心理学・精神医学、看護学による人間や生活の質に重点を置いた分析を取り入れるようになっている［クラインマン　一九九六］。病気の子どもの語りを中心に病院および医療を理解しようとする本稿のアプローチは、こうした流れを受けたものである。

（6）本調査の実施にあたっては、対象病院を所管する大学の医学部、小児科および小児癌科の診療科長より許可を得た。インタビュー時には、事前に子どもとその家族からも個別の了解を得ている。

（7）例えば調査当時のサハラ以南のアフリカでは、高熱を出した子どものうち抗マラリア薬を入手できるのは、およそ三五％に過ぎなかった。その背景には、経済的、地理的、社会文化的な障壁が指摘されている［UNICEF 2009］。

（8）診察料は、病院利用者全員に課される一律の病院利用料のような位置付けにある。病院により料金は異なるが、調査当時は一五〇〇から二〇〇〇ＣＦＡフラン程度（二〇一〇年五月レートで約三〇〇～四〇〇円）であったのが、二〇一八年には三〇〇〇から五〇〇〇ＣＦＡフラン（約六〇〇～一〇〇〇円）程度に値上がりした。保健所や保健センターでは、より低い額が設定されている。

（9）こうした状況は、西アフリカ諸国に共通の課題である。筆者がセネガルの病院で実施した人類学的調査の際にも、貧しい患者のために自ら検査費用や薬代を捻出しようとする医師や看護師に多く出会っている。

（10）経済的要因のみならず社会的要因、特に病院関係者との関係が、病者による病院サービスの利用において重要な影響を与える。診察料を払って「切符」を買うことができる病者は、「切符」を買えない貧困層に比べより良い医療サービスを受けられる可能性が高いが、経済的要因は必要条件であって、十分条件ではない。

（11）首都の病院でも、癌や糖尿病等の慢性病の患者が数カ月から数年にわたる入院や通院を経て、医師や看護師との親密な関係を築く例が見られる。

（12）ダカールより東南方向へ約一四五キロの距離にある州。

参考文献

日本語文献

上野千鶴子
　二〇一一『ケアの社会学　当事者主権の福祉社会へ』太田出版。

クラインマン、A
　一九九六『病の語り　慢性の病をめぐる臨床人類学』江口重幸、五木田紳、上野豪訳、誠信書房。

総務省統計局
　二〇二〇　労働力調査（基本集計）二〇二〇年（令和二年）一一月分結果（二〇二〇年一二月二五日発表分）。
　https://www.stat.go.jp/data/roudou/sokuhou/tsuki/index.html（二〇二〇年一二月二八日閲覧）

Harbor Business Online
　二〇二〇「『このままでは死んでしまう……』コロナでさらに困窮する、在留資格のない外国人のための相談会実施」二〇二〇年一一月九日付。
　https://news.yahoo.co.jp/articles/bb231ac78c90b88ae96d42bc9118f4381a48db9e（二〇二〇年一二月二八日閲覧）

外国語文献

Abbasi K.
　1999 "Under fire", *British Medical Journal*. 318(7189): 1003-1006.

African Union
　2010 "Assembly of the African Union. Fifteenth Ordinary Session", 25–27 July 2010 Kampala, Uganda.

Agence Nationale de la Statistique et de la Démographie (ANSD)
　2016 *Situation économique et sociale du Sénégal en 2013*, Dakar, ANSD.

Agence Nationale de la Statistique et de la Démographie (ANSD) & ICF International

2012 *Enquête Démographique et de Santé à Indicateurs Multiples. Sénégal (EDS-MICS) 2010-2011. Rapport final*, Calverton, Maryland, USA, ANSD & ICF International.

2017 *Sénégal : Enquête Démographique et de Santé Continue (EDS-Continue 2016)*, Rockville, Maryland, USA, ANSD & ICF International.

Bleubond-Langner M. & Korbin J. E.

2007 "Challenges and Opportunities in the Anthropology of Childhoods: An Introduction to 'Children, Childhoods, and Childhood Studies'", *American Anthropologist* 109(2): 241-246.

Creese A.

1997 "User fees. Limited Success at Managing Demand, Profound Effects on Access", *British Medical Journal*; 315: 202–203.

Diallo Y. & Camara C.M

2003 « Conakry : le centre de santé public de Gbessia-port », In : Jaffré & Olivier de Sardan (dir.), *Une médecine inhospitalière : les difficiles relations entre soignants et soignés dans cinq capitales d'Afrique de l'ouest*. Paris, Karthala Editions, p.387-428.

Fall A. S.

2007 *Bricoler pour survivre. Perception de la pauvreté dans l'agglomération urbaine de Dakar*. Paris, Karthala.

Hôpital Principal

2004 « Hôpital Principal de Dakar. Votre guide d'accueil », Dakar, Cellule Formation, Hôpital Principal.

Ida A.

2016 *Les vécus de l'enfant hospitalisé à Dakar. Une analyse ethnographique des paroles et des interactions dans quelques services de pédiatrie à Dakar*. Thèse doctorale de l'Ecole des Hautes Etudes en Sciences Sociales, Marseille.

Jaffé Y. (dir.)

2019 *Enfant et soins en pédiatrie en Afrique de l'Ouest*, Paris, Karthala.

Jaffré Y. & Olivier de Sardan J.-P.(dir.)

2003 *Une médecine inhospitalière. Les difficiles relations entre soignants et soignés dans cinq capitales d'Afrique de l'Ouest*. Paris, Karthala Editions.

James A.

2007 “Giving Voice to Children’s Voices: Practices and Problems, Pitfalls and Potentials”, *American Anthropologist* 109(2): 261-272.

Le Breton D.

1995 *Anthropologie de la douleur*. Paris, Edition Métailié.

McPake B.

1994 “User Charges for Health Services in Developing Countries: a Review of the Economic Literature”, *Social Sciences & Medicine*. 39:1189–1201.

Ministère de la Finance [Sénégal]

2009 « Loi de finances pour 2010 ».

Ministère de la Santé et de l’Action sociale [Sénégal]

2018 « Pyramide de Santé »
http://www.sante.gouv.sn/page-reader-content-details.php?jpage=NTg=&jmenu=Mg==&jmenu=Mg==（二〇一八年一月六日閲覧）

Olivier de Sardan J.-P.

2008 *La rigueur du qualitative. Les contraintes empiriques de l’interprétation socio-anthropologique*, Louvain-La-Neuve, Bruylant-Academia.

Save the Children

2005 “An Unnecessary Evil? User Fees for Health Care in Low-Income Countries”, London, Save the Children Fund.

Sirota R

1998 « L’émergence d’une sociologie de l’enfance : évolution de l’objet, évolution du regard », *Éducation et Sociétés*. n°2/1998 : 9-33.

Sylla, A.

1994 [1978]) *La philosophie morale des Wolof*. 2ème édition, Dakar, IFAN, Université de Dakar.

UNICEF

2009 *The State of The World’s Children 2009*. New York, UNICEF.

Wells K

2009 *Childhood in a Global Perspective.* Bristol, Policy Press.

World Bank

2020a Sub-Saharan Africa. Retrieved from https://data.worldbank.org/indicator/SH.DYN.MORT?locations=ZG（二〇二〇年一一月二八日閲覧）

2020b Senegal. Retrieved from https://data.worldbank.org/country/SN（二〇二〇年一一月二八日閲覧）

ウガンダ東部パドラにおける病いのカテゴリーとその処方

梅屋　潔

一　はじめに

「人間らしい医療」とは、いかにして可能だろうか。この問いは、本質的には、人間とはいかなるものか、医療とはいかなるものであるのか、またあるべきかという哲学的問題を回避することはできない。ここでは、医療の対象とする社会が、「医療」をどのようにとらえているのか解明することによって、その問題に接近したい。そもそも、狭義の「医療」が西洋由来のものだとしても、在来の類似概念や処方がないわけもない。外来のそれにいかなる意味付けがなされ、在来のものといかに絡み合っているのか。

私は一九九七年から断続的にウガンダ東部トロロ県「パドラ（Padhola）」のグワラグワラ村を調査基地として社会人類学的調査を行ってきた。ここには、アドラ（Adhola）と呼ばれる人口約三八万人と推計される民族が住んでいる(1)。

本章では、現地調査で得られた「病気」（トウォ *tuwo*）の種類と、その原因、またそれらにいかに対処するべきかといった知見についての資料を提示する。それらの概念のなかで、「伝統的」と呼ばれうるような既存のものと、「近代的・西欧的」と呼ばれうるような外来のものとが自覚的に区別されておらず、また区別することも困難な、「絡み合った」ものであるという実態を紹介したい。

ウガンダにおける近代医療の普及に尽力したサー・アルバート・クック〔Cook 1945; Iliffe 2002: 20-27〕ゆかりの地でもあるパドラの場合には、この問題は、コロニアル、ポストコロニアルを通じて新しい解釈を加えられている側面を持つ。いわば、時代の変化によって経験とそれに対する解釈が多様化し、活性化しているインターフェイスであるといえる。

アドラ語で言うミレルワ[2]（*mileruwa*）（広義の医療従事者）は、「近代医療」に従事する専門的な医療従事者と、「伝統医療」ないし「代替医療」（alternative medicine）の従事者をともに包含する概念である。区別するときには西洋由来の医療従事者には「ムズング（*muzungu*）（一応「白人」と訳す）の」という形容がつき、伝統的な施術師には「パドラの」（*nyapadhola*）という形容をつける。いわゆる「伝統的」病因論と、近代的な医療技術は、互いに排他的ではなく広義では共存するのである。

「すくなくとも日常生活の生活者レベルでは、両者は矛盾なく併存している」とロモ診療所（Romo Health Center）に常駐していた医療シスタントのワンデラ・メルキセデクはいう。バヤールならば、こうした状況を「複数の伝統が互いに編み込まれる（the interweaving of traditions）」〔Bayart 2005: 7-58〕と表現するかもしれない。両者は、植民地化に代表される歴史的経緯の下で無理やりに接合された要素を含んだものであるにせよ、現在はともに彼らのものとなって身体化されているのである。

また、もう一点注目すべきは、プレコロニアルな病気の解釈と治療方法のレジリエンス（resilience）である。コロニアルおよびポストコロニアルの医療がオールマイティでない以上、病気の原因や治療方法には別の解釈が入り込む余地があり、既存の解釈と方法が存続する素地がある。[3]

これらのことは、本書で考える「人間らしい医療」を考える際に重要な要素であると思われる。

二　調査地の概況

1　アドラ

アドラの人口は二〇〇二年の推計で三五万九六五九人とされている。グリーンバーグの分類に従えば、ナイル・サハラ（Nilo-Saharan）、東スーダニック（Eastern Sudanic）のうちのチャリ＝ナイル（Chari-Nile）である。その下位区分は東・西・南ナイル系に区分され、西ナイル系は、（1）ブルン（Burun）系統の言語、（2）シルック、アルル、ルオ、ジュル、ボルなど、（3）ディンカ、ヌアーの三つの下位区分に分類されている。（2）を特にルオと呼び、アドラはこれに含まれる［Greenberg 1963: 85-86］。アルルやケニア・ルオともっとも親縁性が高い。

このグループに含まれる多くの民族と同じく、主食はシコクビエ（カル *kal*）を湯でこねたクウォン（*kwong*）で、アドラでは近隣のバントゥ系民族の影響も強く、トウモロコシを粉にしたポーショ（*posho*）やガンダ王国から伝えられたバナナ（マトケ *matoke*）も普及している。シコクビエから醸造されるビール（コンゴ *kongo*）は、社交の緩衝材としてだけでなく儀礼には欠かせないものとなっている。また儀礼では、コンゴが重視されるが、バナナから醸すムウェンゲ（*mwenge*）で代用されることがある。

かつては牧畜生活を主としていたが、現在は家畜の数は減少し、有畜農耕というべき生活を営む。家畜、とくに牛に付与された社会的価値と儀礼的価値は依然として大きく、財産の基本単位であるほか、花嫁代償などとしては、かならず牛が必要とされる。さまざまな儀礼においても家畜の供犠がおこなわれる。

歴史学者オゴットが世代交代の年数と記憶されている地名をもとにわりだした歴史学的な推測によれば、アドラの母集団であるルオは、一三世紀ごろには現在の南スーダンにあたるバハル・エル・ガゼル近辺に暮らしていた。一四世紀ごろに母集団と分かれ、紛争や水・食料問題などの理由から長期間かけて何度にも分けて小集団を形成して南や東へと移動したとみられている。その間の経路や経緯はコーエン［Cohen 1968: 114］に詳しい。アドラはこの一連の流れのなかで、一七世紀ごろまでに融合してできた集団だと考えられている［Ogot 1967］。

2 調査地概況

ウガンダの行政単位は、広域なほうから、県（district）と、郡（county）、準郡（sub-county）、区（parish）、村（village）ないし地域（zone）である。それぞれの行政組織が小さいものからLC（Local Council）1（村に対応）、LC2（区に対応）、LC3（準郡に対応）、LC4（郡に対応）、LC5（県に対応）として組織される。LC3以上は有給の地方行政職となり、警察権も有する。(4)

トロロ県西ブダマ郡（旧称パドラ郡）にある調査地グワラグワラを構成する五つのLC1議長によると、二〇一二年現在のグワラグワラの総人口は三〇三一人である。グワラグワラ村の私の寄宿舎の標高は一一八七メートル、トロロ県内では標高の高い地域である。年間平均気温は、二三・四度、最高気温平均が二八・七度、最低気温平均が一六・二度であり、年間降水量は、一一三〇ミリから一七二〇ミリでうち四月から九月までの大雨季が約六〇％を占める。現在準郡の土地の利用状況は、八二％が耕作地で、九％が放牧地、五％が湿地帯、二％が学校や役所、教会、モスク、運動場などの公共施設、二％が道路、とされている。(5)

耕作地でよく育てられているのは多い順にキャッサバのほかトウモロコシ、サツマイモ、落花生、米、シコクビエ、ソルガム、バナナ、インゲンマメ、ダイズ、エンドウマメ、サイザルなどである。換金作物としては綿花とコーヒーを栽培している。家畜は牛を主に、山羊、羊、鶏、七面鳥、あひるなどである。

三　トウォ（*tuwo*）の観念と種類

1　リフオリとトウォ

アドラ人は、どんなトウォ（病）であっても、リフオリ（*lifuoli*）（不幸）がすべての背後にあり、偶然ではありえない、という。そういった意味では、病は不幸のあらわれにすぎず、究極的な「災因」はつねにその背後にあるといえよう。その意味で「病は深い解釈を要求する」［渡辺　一九八三：三三六］という問題設定は妥当である。

以下に示す資料は、私の依頼によって、ワンデラと、ジョセフ・オマディアが、パドラで一般的なトウォとしてあつめたリストである。「流産」からはじまる一見唐突なリストだが、配列の順番には現在私が知り得ない意味があるかもしれないと考えて、そのままにしてある。

2　トウォ *tuwo* の種類と対処方法

①ポド・パ・イニ・ダノ・モガモ（*podho pa iyi dhano mogamo*）（流産）は、このあたりでもっとも頭の痛い問題のひとつである。多いのはムスジャ・マ・スナ（*musuja ma suna*）つまりマラリアによる体調の悪化によるものや、トウォ・マ・カニュウォリ（*tuwo ma kanywoli*）（子宮の病）によるものがある。妊婦はムルスワ(6)（*mulswa*）と呼ばれる薬草を水に混ぜた薬液を飲まされた。事実、そういった処置で改善するものも多い。しかし、現在では、たいていの人はトロロの国立病院に運ばれる。

②ブリ・マ・ドゥオンディ・ジョ（*buri ma dwondi jo*）も多い。これは咽（のど）のできもので、バクテリアなどに感染することによるのだが、体を清潔に保っておくことが大切である。垢まみれになっていると、こういうことに

写真1　儀礼小屋で占いをする施術師とクライアント

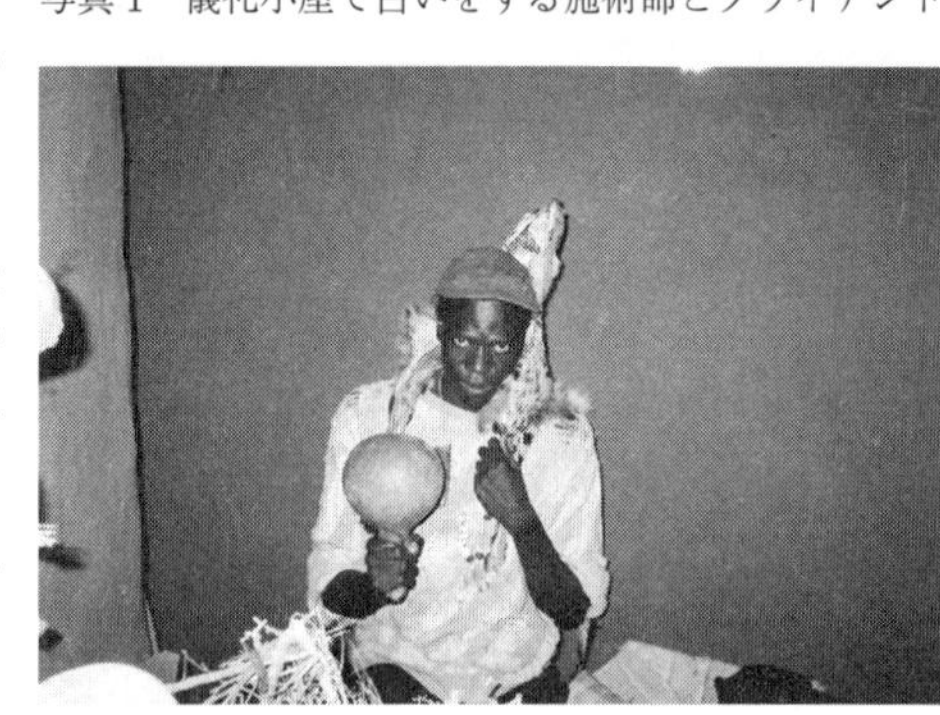

写真2　施術師がポーズをとる

なりやすい。施術師のところでも、切開されて管で内部の体液を抜く処置がなされる。その後、オンドゥレ（*ondule*）という薬草を首に巻く。医療機関でも切開とドレナージをする点では、原理的にはかわらない。

③カルンバ[7]（*kaluma*）。この語を訳すのは難しい。呪術によるものだろうと思う。誰かの意図による場合もあるが、外の小道を歩いていたり、森の奥深くで「出合ってしまう」、と考えられている。不安とか、精神の不安定、などという表現もできるかもしれない。憑依霊を祓う儀礼を行う。アジュウォキ（*ajwoki*）やマガラ（*magara*）、ブラ（*bura*）という用語で似たような状態をあらわすこともある。

④ウィノ（*wino*）。医者は、「停留胎盤」という。トゥド（*tudo*）（字義通りには「縛る」こと）という邪術の一種であり妊娠している時期に友人に嫉妬の気持ちをもたれると、これが起こることがある。伝統的には、オティキ・ディエリ（*otiki dieli*）とカジョコロ（*kajokolo*）という薬草を燃やし、調理石の下に置く。出産を控えた女性の臍の部分を石でこする。妊婦はその薬草の一部を噛んで服用する。

⑤トウォ・スカリ（*tuwo sukari*）。文字通りには「砂糖の病」として知られている糖尿病。糖分のとりすぎが原因なので、医療機関では糖分が多く含まれる食べ物を摂取しすぎないように指導されるが、伝統的には、動

物の胆嚢や非常に苦味の強いものを食べることがすすめられていた。

⑥アビリノ（*abirino*）というのは、吹き出物やニキビの類である。医学的には、ホルモンに関していくつかの知見があるようだが、特効薬のようなものはない。従来は押し絞って膿んだ内容物を取り除く方法がとられていた。

⑦スリム（*slim*）。ＡＩＤＳのこと。トゥイロの病（*tuwo twilo*）とも呼ぶが、この地域でももはや非常に多くの人が犠牲になっている。埋葬儀礼に出席し、死因をたずねると、もうたいていの死因はこれだといってもいいぐらいだ。この感染経路については、ある程度皆知っている。感染者との性交渉、感染したものや道具、鋭利な道具に触れること、とくにナイフや注射針などが危険なものだ。伝統的な施術師のところへ行っても、

写真３　親の葬儀で泣く娘

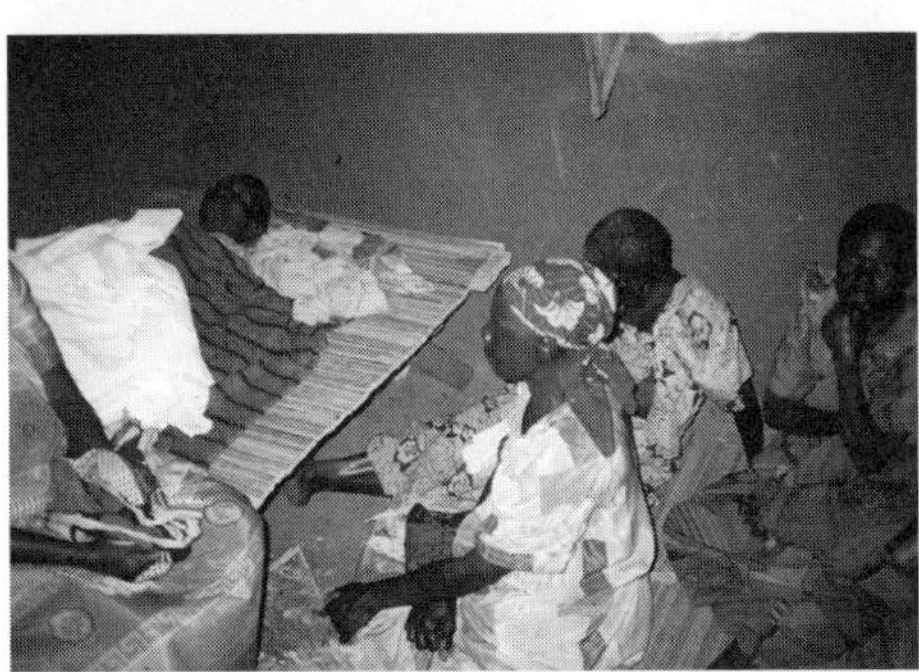

写真４　遺体を前に夜伽する親族たち

写真５　親の遺体を前に泣く娘たち

この新しい病気についての理解には、たいした違いはないので、感染者との性交渉を避けること、それから、コンドームの使用をすすめられるぐらいである。治療法は近代医療にもなく、最後には死亡する運命と決まっている。

⑧アドラ・マ・リンゴ・ラキ・ジョ（*adhola ma ringo laki jo*）。字義通りには、「歯の肉のできもの」。急性潰瘍性口内炎と診断されることが多い。原因は、細菌が口中の傷にはいったためであり、口腔内を清潔に保つことが重要だ。伝統的には、モー・ディアン（*mo diang*）（バターあるいはギイ）を口のなかに塗りつける方法が一般的だった。

⑨カレンゲレ（*kalengere*）。医学的には、頸部リンパ節炎に当たる。エリスロマイシンが処方される。リンパという考え方がもともとアドラにはなかったので、食道炎も同じように認識される。オディ・オブンブ（*odi omumbu*）（蜘蛛の巣）が使われる。まず、蜘蛛の巣を焼く。そして、その灰をかまどの灰と混ぜて首につける。薬草アニュカ・ニュカ（*anyuka-nyuka*）を火であぶり、患者が噛む。症状は異なるが、カレンゲレについての認識は、ウィノに対する考え方と似ている。

⑩メロ（*mero*）。酒を飲み過ぎて意識を失うことがある。「アルコール性昏睡」という。女性の尿をコップ一杯飲ませる、という治療法に効き目があると広く信じられていた。現在の医療機関では、西洋医学に基づいてグルコースが処方される。

⑪ディエウォ（*diewo*）。下痢のこと。消化器系の病気は、ありふれてはいるが、それだけに非常にたくさんの原因が疑われやすい。たとえば、呪術。毒。マラリアでもこの症状はありうるし、ＡＩＤＳでもみられる。不潔だったから、ばい菌が口から体内に入って悪さをしているのかもしれない。伝統的には、イェケ・イェケ（*yeke-yeke*）という薬草、シワ・マ・タリ（*siwa ma tari*）という薬草と、十分な水分とともにアチュワ・マ・

ミティ（*achwa ma miti*）（樹木の一種）を与える。清潔がなによりだ、という考え方も伝統的にあるので、排泄物の処理には気をつける。

⑫キディンビア（*kidimbia*）。貧血のことだ。クワシオルコル（*kwashiorkor*）（ガーナ、アカン語に由来する語だが、「消耗症」として医学用語としても定着している）ともいう。アドラ語で、「血がない」（*ongoye remo*）という。ひどいときには、顔がむくんでふくれあがったようになるという。医療機関では、鉄分を補給する錠剤を与え、安静にするようにすすめるしかない。伝統的には、オシガ（*osiga*）という野菜を調理して、摂取すると予防のためにいいとされている。食欲増進の効果があるという蔓草ニャムケシ（*nyamukesi*）から調合した薬草をとることもすすめられる。

⑬ミニ・イエ・オウォキ（*miniye owoki*）。これは、痔のこと。大便の圧力が、引き起こすいわゆる切れ痔、便秘との関連で起こるものがある。伝統的な治療法としては、背中を押したりする療法が知られている。シラニェンデ（*siranyende*）とドゥキノ（*dukino*）という薬草をバナナの葉の上に置いてそこにしゃがむ。その後、その薬草を飲み水と混ぜ、一緒に沸かして飲む。ＡＩＤＳでこの症状にそっくりな状態になる場合もある。

⑭オグワンギ・コ・カイン（*ogwangi ko kayin*）。動物に噛まれたらきれいに患部を洗浄することだ。鳥の糞を塗りつけるのが、伝統的な治療法である。

⑮トウォ・マ・チョコ（*tuwo ma choko*）。関節炎、「骨の病い」と呼ばれる。マイギ（*maigi*）、つまりリューマチと対処法は同じである。関節が膿んだ場合、つまり細菌性関節炎にかかった場合は、膿を除去する点は、同じだが、プニイ（*punyi*）という薬草の根を地酒マルワ（*malwa*）とリウォンベレ（*liwombele*）という蔓草と一緒にすりつぶして乾燥させたものを一日二回、一週間のあいだ、経口摂取する。リウォンベレは、儀礼でよく壺に巻き付けられる蔓草の一種である。

写真６　ムルスワ（薬草）

写真７　ムルスワを手にする村人

⑯キディニ（*kidini*）。回虫症のことをこういう。不潔にしていると、これにかかる。便所が不足していることが、この病気の蔓延を許している要因である。診療所に行けば、ベルモックス（メベンダゾール）の錠剤かシロップ、レバミゾールシロップ、ディカリス、あるいはケトラックス（薬剤名）、その他の名前で出回っている薬を処方されることになる。伝統的には、アチワ・マ・ケッチ（*achiwa ma kech*）という薬草をすりつぶし、水と混ぜ合わせ、コップで患者に飲ませる。また、ムスルワ・マ・タリ（*muluswa ma tari*）も同じように飲ませると効き目が期待できる。

⑰アシマ（*asima*）という。ぜんそくのこと。肺へつながる気管支の狭窄が原因のひとつだが、伝統的にはプニイ（*punyi*）という蔓草植物をすりつぶし、それを噛むように指示される。診療所にいくとサブタモールが処方される。

⑱イーマ（*viima*）という病気。これは脾臓が肥大する病気だが、マラリアによってもおこるといわれているが、原因はまだよくわかっていない。オカタラ[8]（*okatala*）という薬草の根っこと蔓草植物カナキ・ナキ（*knaki-nakii*）、そしてルク（*luku*）をすりつぶし、水と一緒に混ぜて経口摂取する。

⑲カチョ（*kacho*）。虫にさされてしまったら、モー・タラ（*mo tala*）（灯油）をそこに塗ったり、ミキシンデ（*mikisinde*）という草を患部に強く押しつけるとよい。

⑳スウォリ（*thwoli*）（蛇に咬まれた傷）。テレ・マチョリ（*tele macholi*）という黒い石を用いて体内の毒を吸い取る。対応が早ければ助かることがある。

㉑チュウエリ・パ・ウミジョ（*chweri pa umijo*）。鼻血。患者をみたら、この地域では基本的にはマラリアで熱にうなされているか、腸チフスが疑われ、診療所でもそういった対応をする。しかし、伝統的には冷たい水を額に注ぐ対処がとられる。

㉒ブリ（*buri*）。腫れものは、不潔なためにおこることもあるし、細菌が体内に入ったことによることもあるが、邪術による、ということもある。体内の腫瘍についてもほぼ同じ考え方がとられる。

㉓ウォロ・マ・コリ・ジョ（*wolo ma kori jo*）（咽の病）咳がとまらない、いわゆる気管支炎である場合が多い。伝統的には、薬草を混ぜて準備する。薬草をムルスワと水と混ぜて、また、蔓草植物プニイ（*punyi*）を水と混ぜて服用する。一二時間おきに服用する。だいたい五回から七回これを繰り返すとなおることが多い。

㉔トウォ・マ・ミヨ・イイ・ドキ・ポド（*tuwo ma miyo iy dhoki podho*）（牛が流産する病）。これは、ブルセラ病が疑われる。抗生物質を投与する。

㉕トウォ・マ・クウォト・ンガンギジョ（*tuwo ma kwoto ngangi jo*）。両足の付け根の病気。両足の付け根に痛みをともなう、横根（よこね）（医学用語）。薬草を粉にして水とバターとで混ぜあわせて処方する。

㉖ワンギ・ギ・マッチ（*wangi gi machi*）（火による火傷）あるいはワンギ・ギ・ピー（*wangi gi pi*）（お湯による火傷）は、冷たい水を注いで、ウサギの毛皮を傷を覆うようにかぶせておく。医療機関では抗生物質が処方される。

㉗トウォ・アドゥンド（*tuwo adundo*）（心臓の病）心不全。これは、血液が不足している、という考え方から⑫の

キディンビアと種類が似ている。心臓自体に細菌が入り込んだ、とか先天性の問題である可能性も排除できない。山羊の心臓を食べるとなおると考えられている。また、バナナのうちの一種、ゴンジョ・マ・ンティエ・マ・ウォウェ（*gonjo ma ntiye ma wowe*）を食べるとなおるともいわれる。

㉘トウォ・イイ・ジョ（*tuwo iyi jo*）（腎臓の病気）。今日では腎炎と呼ばれる。㉗の心臓の病と同じように、食事をしっかりとり、酒をのまないようにしたほうがいいといわれる。

㉙ムボワ（*mbowa*）。蜂窩織炎という。オポソ（*oposo*）という薬草、赤腹の黒い蟻が薬として処方された。皮膚炎、なかでも呪術による手足の腫れが疑われるものについては、便所の穴や調理石に患部を乗せたりする方法があったが、現在ではこれをする者はほとんどいない。

㉚ムスジャ・マ・スナ・カ・オドンジョ・イニャンギシ（*musuja ma suna ka odonjo inyangih*）（脳に入ってしまったマラリア）。マラリアでも、脳をやられると、症状は㊼狂気、ネコ（*neko*）と同じなので、病院に送られる（㊼参照）。

㉛トウォ・マ・ニャサイエ（*tuwo ma nyasaye*）（子宮の病気）。ムブラ・キフオ（*mbula kifwo*）つまり淋病がもっとも疑われる。この処方は梅毒に関してと同じである。

㉜トウォ・マ・タコ（*tuwo ma tako*）（胆の病）。胆嚢炎（*Cholesystis*）は、「油のとりすぎ」（*bori maditi*）とされるので、脂質の摂取を減らす。

㉝ディエウォ・マ・ピヨ・ピヨ（*diewo ma piyo piyo*）（文字通り訳すと「急な下痢」）。コレラ。不潔のことをコッチ（*kochi*）というが、コッチが原因であるから、清潔にすることである程度予防できる。ただ、下痢により水分が失われるので十分な水分を補給してやることが必要だ。

㉞トウォ・マ・チュニイ（*tuwo ma chunyi*）。肝炎。原因は酒の飲み過ぎがおおい。マゾ・ングリ・マゾシ（*madho nguli mathothi*）、つまり、ングリという蒸留酒を飲み過ぎるとこうなる。伝統的にはチュンビ・マノック（*chumbi* manok）（塩分を与えない）。腹水が溜まるからであろう。チェモ・マケロ・メニ（chiemo makelo meni）（炭水化物をたくさんとる）。キダダ[9]という毒を盛られたときのように腹がふくれあがる。

㉟トゥォ・マ・ギリエ・ジョ・マ・ドンゴ（tuwo ma girye jo ma dongo）（大腸の病気）。細菌が入り込んだことによる。また、ひどいディエウォ（diewo）（下痢）に悩まされる。米やラブウォ・ニャキズング（Rabwo Nyakizungu）（じゃがいも）を食べると下痢はおさまるとされる。

㊱ムスジャ（musuja）。一般的な悪寒。日本語の「風邪」に近い特徴を持つ語。インフルエンザのこともありうるし、赤痢のこともある。医療機関ではそれを特定してから治療するのがふつうだが、十分な水分摂取をすすめて、炉など火のたかれている場所の近くに座らせたりするのが一般的だった。また、ベッドで休むことが推奨されることも多かった。

㊲トゥォ・マ・ワンギ・ジョ・ギ・スビ（tuwo ma wangi jo gi thubi）（目の炎症、結膜炎）。外傷、細菌がはいったと考えられる。とくに不衛生だとこうしたことが起こりやすい。ピギ・ボケ・ヤーシ（pigi boke yath）（樹木の葉からつくられた樹液を調合した薬草）が処方され、よく目を洗う。

㊳ピエリ・オムニェ（pielo omunye）。便秘のこと。これは便所に行く習慣がうまくついていないことが原因で、変にがまんすることが習慣化するとおこりやすい。また、消化に悪いものを食べ過ぎると、こうなることもある。水分をたくさん摂取することと、アボカドやパウパウ（paw-paw）などを食べるといい、ともいう。

㊴グウェチョ・パ・ニシンド（gwecho pa nyithindho）（子供が病気の時、あるいは何かに満足していないときに起こす衝動的な動き）。子どもが痙攣をおこすことがある。これは、ジュウォギ[10]のせいにされることもあるが、マラリアだったり、血圧の問題だったり、ということがある。ジュウォギを祓う儀礼を行うほかは、お湯に浸した布で体を拭いてやるとかの方法がとられていた。

㊵パンガやナイフなどでの切り傷は、まず止血することが大切だ。ひもなどを用いて患部を縛ることが有効だ。「失う血を少なくする」（*tweyo remo okiri ochweri*）という言い方をよくする。

㊶トウォ・オレヨ（*twwo oleyo*）（膀胱の病）。膀胱炎。これは、㉛の子宮の病気とおなじくムブラ・キフオ（淋病）によるものがあるので㊽も参考にしてもらいたい。単に細菌が感染しただけのこともある。

㊷ゲモ・ギ・ブリ・イ・ラキ（*gemo gi buri i laki*）（「歯が膿んで穴が空く」）。医学的には歯性膿瘍。伝統的には患部で灰を噛んで、うがいをすることが伝統治療としては行われていた。

㊸ゲモ（*gemo*）。う蝕。歯のカリエスのこと。虫歯もこれに含むことがある。たいがい不衛生にしているのが原因である。伝統的には、毎食後と毎朝、チュキ・マッチ（*chuki machi*）、つまり灰や木炭で歯を磨く。マウォレウォレ（*mawolewole*）（腐ったバナナの茎）で患部をマッサージする。リンブグ（*limbugu*）という薬草の根で熱湯とともに患部を刺激する。伝統的には、主な原因は歯の中にいる虫だと信じられていた。現在の医学では、食事するたびに、細かな食べ物の小片が口の中に残ると信じられている。こうした食べ物のかすは細菌によって酸をつくりだし、歯を腐食させ、穴を作り出すと考えられている。

㊹クウェロ・チエモ（*kwero chiemo*）（「食欲が起こらない」）。原因は、マラリアや風邪のように多岐にわたるが、麻疹のこともある。あるいは消化器官に疾患があるとこういった症状を引き起こすこともあるだろう。いずれにせよ、医療機関では、原因を特定してから治療をはじめるが、伝統的にはニャムケシ（*nyamukesi*）という薬草を水に混ぜ、沸騰させてから患者に与える方法がとられていた。たいていはすぐにその後、患者の食欲は増進していたものだ。

㊺ディエウォ・マ・レモ（*diewo ma remo*）（赤痢）。即効性のある万能の処方箋はない。水分補給が大切である。抗生物質を投与しておけば、ある程度すれば改善することが見込まれる。

㊻リソカ・ダコ・ルコドウェ（*lithoka dhako rukodwe*）（月経時の違和感）。正常でもときにこの状態に悩まされる女性は多い。生理痛が重い、という人は結構いる。ただ、淋病のようにＳＴＤ（STD: Sexual Transmitted Diseases）によるものもあるので見分けが難しい。伝統的には、淋病と同じようにする。㊽のムブラ・キフオを参照のこと。

㊼オドキ・イ・イシ・ジョ（*odoki i ithi jo*）（耳垢）。油を乾いた場所に与えて、適度な潤いを与えておく。

㊽ムブラ・キフオ。これは今日では淋病として知られている。代表的なＳＴＤのひとつである。伝統的には、ムルスワの葉を粉にし、その根を混ぜて薬をつくる。三日間毎日カップ一杯飲む。ラグウェ（*ragwe*）（蜥蜴の白いもの）とゲコ（*gecko*）（頭の赤い蜥蜴）と薬草オシト[11]（*osito*）の根をすりつぶして、経口摂取する方法もある。

㊾ポド・フミ（*Podho fumi*）（てんかん）。これらの意識障害の類は、かつてはジュウォギのしわざと考えられていた。しかし、精神的外傷、トラウマによってこの症状を示す人もいるし、日常のいろいろな雑事の厳しさによってこうした症状を示す人もいる。あまり原因がわかっていないことも多いのではないか。伝統的には、スンド・ヤゴ（*thundho yago*）という薬草をすりつぶしてその薬草の液にクライアントの体を長期間浸しておく。

㊿ミディノ（*midhino*）。皮膚のできもの、湿疹や皮膚炎などを総称してそう呼ぶ。原因はよくわかっていないが、山羊の肉を食べるとこの症状を示す人がいるようだ。伝統的には、カパンガ[12]（*kapanga*）の葉で患部をこするなどし、あるいは、アディ（*adhi*）（テントウムシ）と、羊の糞を同様に皮膚にすり込む、などのことが行われた。これは一日四回行う。西洋的治療としては、ベタメサゾン・クリームが一般的である。

(51)白癬も㊿ミディノと同じようにとらえられ、同様の対処がとられた。

(52)ラキ・ニャシ・マコ・ティレ（*laki nyath mako tire*）。生後五ヶ月ぐらいから乳歯が生えてくるが、これは無意味なものだと考えられている。ポトング（*potong*）、偽歯という。下痢をしたり、嘔吐したりする「病因」のひとつと考えられ、施術師の手で引き抜かれることが多かった。抜いたあとの傷には、オベリ（*oberi*）（ジャカランダ）の木の根をこすりつけた。

(53)トゥリ・パ・チョコ・ダノ（*turi pa choko dhano*）（骨折）。伝統的には、アロエの一種が患部にあてられ、患部を固定する。

(54)ムスジャ・マ・スナ・ケロ（*musuja ma suna kelo*）。マラリア。かつてはジュウォギのしわざと考えられた。患者を分厚いシートやブランケットで木の上などに吊しあげて、ムルスワ、ユーカリなど低木の葉を集めて燃やし、患者をその煙で燻した。あまり状態がひどいときには病院に運ぶのがよい。①と㊱も参照。また、新鮮なムルスワが絞られ、入浴に使われる。

(55)チロ・マ・カニョウォリ・パ・ダコ（*chilo ma kanywoli pa dhako*）。医療機関では膣トリコモナスと呼ばれる。伝統的には、患部を清潔にたもち、性交渉を避けるのがよいとされる。

(56)コヨ・マシンド（*koyo mathindho*）。麻疹のことをこう呼ぶ。これも意識障害が伴うこともあるからジュウォギのせいにされることが多かった。一定期間症状が続くので、何か悪い予兆であるという解釈も、過去には頻繁にあったと考えられる。治療法としては、蜂蜜モー・キチ（*mo kichi*）をクライアントに与える他、蔓草植物であるニャムケシを食べさせ、食欲を回復させることが大切とされた。また、食欲が回復してきたら、肉など高タンパクの食べ物を与える。この病気が伝染性のあるものであることはある時期からは知られていたので、子供の水浴びを患者にさせることは、禁忌だった。

(57)ピシ・マラーチ（*pithi ma rachi*）。栄養不良。栄養失調。いわゆる高タンパク食が推奨される。肉の他には、たとえば胡麻、大豆、バター、卵などがすすめられる。

(58)トゥォ・マ・テロ・ングティ・ジョ（*tuwo ma telo nguti jo*）髄膜炎にあたる。伝統的には、塀に用いる樹木の葉のうち緑のものをとってそれでマッサージすることが多いが、重篤な場合病院に連れて行かれる例も多い。ジュウォギのせいにもされやすい。

(59)アドラ（*adhola*）。潰瘍のことである。ビロワの木の樹液が傷に塗布され、灰をかぶせて乾燥させ、そして現在では抗生物質を投与する。

(60)トウォ・スンド（*tuwo thundho*）（「乳首の病」）。伝統的にはカギノ（*kagino*）という植物の葉を使う。すりつぶして胸に塗り、マッサージする。母乳を搾りだす。これは毎日行う。

(61)ヤーシ・オイエヨ（*yath oyeyo*）。「猫いらず」つまり鼠を殺す毒をあやまって食べてしまうことがある。そういった場合には、ミルクをたくさん飲ませ、生卵をたくさん飲ませる。

(62)ニャッチ（*nyachi*）。梅毒のこと。典型的なＳＴＤだ。伝統的には、性交渉を避けることはもちろん、ムルスワの葉をすりつぶし、水に混ぜる。それを一日二カップ二週間、経口摂取する。伝統医療だけでなおるとは考えられていない。

(63)トウォ・レロ（*tuwo lelo*）。偏頭痛。原因はよくわからない。頭の血管に血が溜まっているのだと考える医療従事者が多い。伝統的には、（悪い血が溜まっているとの考え方から）頭に印をつけて、ある程度の傷をつけ、一五分間ほど瀉血する方法が知られていた。オシトという薬草を処方する。これは効き目がある。診療所に行けば、プルプラノロールや、エルゴタミンが処方されるだろう。

(64)トウォ・コリジョ（*tuwo korijo*）。胸の痛み。農作業などで過度の運動をした場合におこりうるが、内臓疾患と関わっていることもあるので注意が必要だ。かつては胸に印をつけ、傷を付けて、わずかに出血したら、アタワ（*atawa*）という薬草を塗りこんだ。

(65)ポリオのようなものにも、かつてはジュウォギが疑われた。邪術の可能性もある。排泄物からさまざまな経路で経口感染する。不衛生によってウイルスが蔓延すると考えられた。子供の頃にポリオに免疫がないので、とりわけ注意が必要である。伝統的には、邪術の容疑者を屋敷などに監禁したりした。また、二口の壺の中に子どもを入れ、森の奥深くに子どもを置き去りにすること（結果おそらくは死亡する）がよく行われたこととして伝えられている。発症し、終生麻痺がおこると、医療機関でも完治の方法はない。車いすや、松葉杖が手放せない生活を余儀なくされる。

(66)アイラ（*ayila*）。掻痒症。悪い水が原因で、オンコセルカのように虫が関わっている場合もある。ＡＩＤＳや何かのアレルギーでも類似の症状は出るし、ムカデに刺されたり、薬の副作用でも起こりうる。伝統的には、カパンガの葉を芋と混ぜ、アディと混ぜてつぶし、塗布する。

(67)マイギ（*maigi*）。リューマチ。伝統的な対処方法としては、アバク（*abak*）という木の根をマルワに混ぜて飲む、アユチャ(*ayucha*)という薬草をすりつぶして、経口摂取する。また、薬草としてはアユウェリ(*ayweli*)とシラニェンデ（*siranyende*）という薬草も知られている。

(68)トウォ・ピエリ(*tuwo pieri*)(「背中の痛み」)。過重な肉体労働。腎臓の病気などが疑われる。伝統的には、オスウェリ（*osweli*）の根をオフルル（*ofululu*）（白身の魚）と一緒に混ぜて、患部に湿布することが多い。

(69)オングラ（*ongula*）。白内障。目の水晶体に傷がつくことによる。栄養失調や麻疹によっても起こるといわれているが、経緯がよくわからない場合もある。伝統的には、目に水を吹きかけ、洗浄するためにマロンゴ(*malongo*)という木を用いる。一日三回それを実施する。イティ・オイェヨ(*ithi oyeyo*)(鼠の耳)をマンブ(*maumbu*)（バナナの葉のなかでも開かずにまっすぐ伸びるもの）の上において、同様に患部に吹きかける。

(70)ウォロ・マ・レモ（*wolo ma remo*）。結核のことである。原因は感染者からの空気感染だが、沸騰していないミルクを飲んだから、という理由も聞くことがある。伝統的には、アチャキ（*achaki*）という苦味のある薬草

を焼いて灰にする。アス・マ・マトケ（*asu ma matoke*）（バナナの茎）、ニャメジ（*nyamegi*）（マトケの一種だが、ムウェンゲ（酒）にするのに適したもの。ムビィエ（*mbiye*）とも）を焼いて灰にし、摂取する。約二ヶ月と治療期間は長い。

(71)カソンガ（*kasonga*）。肺炎のこと。咳によって伝わる。伝統的には、プニイという蔓草植物をすりつぶし、水と混ぜて一日五回経口摂取させる。

(72)キリミ（*kilimi*）。急性咽頭蓋炎。伝統的には、オンドゥサ（*ondusa*）（薬草）をすりつぶし、処方される。五日間に三回、摂取する。医療機関でなく施術師でも刃物を用いて切開することがあるが、現在ではあまり推奨されない。

(73)ルリ（*luri*）。種なし。生まれつきのものと呪術によってそうなってしまったものとがある。伝統的には、特別な薬草を噛んで飲むと患者に高い性的衝動がわき起こるといわれているが、その薬草の種類や作り方は、なかなか教えてもらえない。

写真8　マテケラ（左）などの薬草

(74)ロロ（*loro*）。水頭症。これも生まれつき、あるいは何らかの呪術によるものと考えられている。伝統的には、アモ（*amo*）の根を掘りだし、水に溶かして飲んだり、卵を殻ごとゆで、卵に生のままのマテケラ[13]（*matekela*）と胡麻麻の種、沸騰した水をすべて混ぜてつくられる。毎日カップ一杯与える方法が一般的だった。

(75)アポム（*apom*）。象皮病。これは農作業をしているときに畑で呪術をかけられた場合がありうる。あるいは、カタツムリを踏みつぶすとこうなるといわれている。伝統的には、特別な薬[14]を患部に吹きつけ、カミソリで傷をつけてすり込む。

写真9　オセヨ（右）などの薬草

(76)マルウィニョ（*malwinyo*）。サナダムシ。調理がじゅうぶんされていない肉、生煮えの肉などを食べたのではないかと疑われる。伝統的には、オセヨ（*oseyo*）という植物の根をすりつぶして、水と一緒に飲む。

(77)ニャングス（*nyanguth*）。ハンセン病。生まれつきだとか、呪術によるものであるとか、意見が分かれる。伝統的には、アフリカニシキヘビの肉、特に脂肪の部分モ・ニェロ（*mo nyelo*）が効果があるといわれている。逆に羊の肉や、セムトゥンド[15]（*semutundu*）、ティラピアなど水中にすむ動物を食べてはいけない。特定の薬草を体に塗ることもされていた。

(78)カセンゴ（*kasengo*）。疥癬。不衛生が原因といわれる。伝統的には、アモ（*amo*）という木を細かく割って[16]、煮詰め、体に塗る。サブニ（*sabuni*）（石鹸）、やオモ（*omo*）（洗濯用洗剤）をきちんと用いて、体や着衣を洗うこと。

(79)アルニャ（*alunya*）。頭部白癬。伝統的には、アトンギ（*atongi*）（ヌスビトハギ）という薬草を煮て、すりつぶし、そして患部に塗る。チャングウェ（*changwe*）（ヘチマ）の葉、イエケイエケ（*yeke-yeke*）の根も効き目があるとされる。

(80)ワガ（*waga*）。足のかゆみ。大便で汚れた場所を裸足で歩いたりした場合にはこうしたことがおこる。伝統的には、患肢に尿をかけるとなおるとされた。

(81)キダダ（*kidada*）。症状としては腹水がたまること。飲食時に呪術、とりわけ毒を混ぜられた場合に起こる。伝統的には、コンゴやマルワあるいは紅茶に薬草を混ぜ、飲むという処方があったが、一説には、これにかかるともう助からないともいわれている。事実薬草師のところに連れて行かれれば一〇〇パーセント死亡するだろう。通常、患者は体内の液体を吸収するような激しい嘔気をもたらす薬草が与えられるという。伝統的薬草師はその薬オポソ（*oposo*）という木を粉にして、お茶やコンゴと混ぜて飲むように、というような治療をしているそうだ。助かったケースもあるが、その場合には、キダダではなく、酒の飲み過ぎによる（トゥォ・マ・チュニイ㉞参照）だったのだろうと考えられる。

(82)ワリゴナ（*waligona*）。鬱。これはカルンバと並んで難しい病気だ。犠牲獣として雄鳥、雌鳥、山羊、が必要である。施術師がこれらを供犠する。

(83)ブボ（*bubo*）。卵管卵巣嚢腫。これは、淋病による。伝統的には、マス（*masu*）とチュム（*chumu*）などの薬草が与えられ、水とバターと一緒に飲む、という治療を行っていた。

写真 10　酔って歌い踊る

(84)ロンゴ（*longo*）。これは、陰嚢水腫のことである。わざわざ富の象徴として、薬でこれを自らつくろうとする人もかつてはいた。病院に行き、外科手術で中に溜まった水を抜く人もいる。水を抜いてもまた溜まることが多く、根治療法はないのではないか。

(85)トゥォ・イシ・ジョ（*tuwo ihi jo*）。中耳炎のことである。伝統的には、オドゥオンゴ（*odwongo*）という薬草を耳の穴のなかに注ぐ。

(86)ウィロ・ングティ（*wiro nguti*）。斜頸。伝統的には、オンドゥレ（*ondule*）という玉ねぎのような植物を首に巻きつける。

(87)ネコ（*neko*）。狂気。呪術によるもの、ジュウォギのしわざ、あるいはマラリアの重篤な症状と認識される。ジュウォギのせいならば、その由来するブッシュへ帰ってもらう儀礼を行わなければならない。呪術の場合、その効き目に対抗する呪術を薬をもちいて行うことで、治癒が期待できる。

㊟ラッチ・レモ（*lachi remo*）。血尿。原因は膀胱の問題と考えられる。伝統的には、ギダディレ（*gidadile*）という薬草を混ぜた尿を飲むように与えられる。経口摂取する。ライウェ・モ・ボケレ（*raywe mo bokere*）とオシトの根をすりつぶして熱湯で煮詰め、経口摂取される。

写真11　蔓草植物を首に巻くクライアント

四　資料の分析と考察

このリストでは、随所に衛生学的な、サニテーションにかかわる記述が目につく。「細菌が口中の傷にはいったためであり、口腔内を清潔に保つことが重要だ」⑧、「不潔だったから、ばい菌が口から体内に入って悪さをしているのかもしれない」⑪、「患部を洗浄する」⑭、「不潔にしていると、これにかかる」「便所が不足していることが、この病気の蔓延を許している」⑯、「不潔なためにおこることもあるし、細菌が体内に入ったことによることもある」㉒。「不潔のことをコッチ（*kochi*）というが、コッチが原因であるから、清潔にすることである程度予防できる」㉝。「とくに不衛生だとこうしたことが起こりやすい」㊲。「単に細菌が感染しただけのこともある」㊶、「たいがい不衛生にしているのが原因である」㊸、などである。「清潔がなによりだ、という考え方も伝統的にあるので、排泄物の処理には気をつける。」⑪というが、これを真に受けてこれらがすべてプレコロニアルから常識だった、と考えるのも、完全に外部からの導入であると考えるのもともに早計であろう。

トロロに本拠を置く現地ＮＧＯが上映するドラマで、食後の手洗いを普及するエクステンション・ワーカーが登場するものがあった。テーマは、「開発とは何か」であった。それが象徴的に物語るのは、手洗いなどの普及がいかに困難だったかということである。衛生観念の普及活動が困難を極めたことは知られているが、現在では、教え込まれたこととは思えないほど身についている。彼らは、「絶対」といっていいほど、ひとたび地面に落ちた食物を口にしない。その床がいかに清潔に清掃されていようとも、である。実際にはテーブルの上と清掃済みのリノリウムの床がどちらが清潔なのかは、顕微鏡を使用でもしない限り、科学的な検証はできないはずである。例外を一度だけ見たことがある。私の調査助手の一人、マイケルが、炭のコンロに鉄網を敷き、焼いていた鶏肉を一切れ、コンクリートの床に落とした。彼は「黴菌もまだ気付いていないだろう」と言って拾って食べた。いわゆる「三秒ルール」である。この出来事が例外的にみえるほど、彼らには徹底した衛生観念が刷り込まれているといえる。しかしながら、それらが完全に外来のものなのかどうか、今となってはそれは全くわからないのである。随所に認められるのは、すでに浸透し、接合され、過去のものと切り分けて区別することもすでに難しくなった、じゅうぶんに身体化された外来の衛生観念の姿なのである。

写真12　施術師と儀礼小屋。薬草が吊るされている

五　むすび

もちろん、ここで示した病気のカテゴリーが、パドラのトゥォを完全に網

羅的にカバーしているなどというつもりはない。しかし、このリストが、パドラ人の認識するトウォのかなりの部分を反映していることは事実であろう。

リストが完成してからも何度もオマディアたちと、改訂作業を試みた。その後も独自に改訂を行い、ワンデラとオマディアは、のちになってより近代的な処方箋を満載した、おおむね一九項目からなる医療者の手引きのようなものを作成した。その資料では医療指導をする立場でもあるワンデラの積極的関与があったようで、薬剤名や医療用語への言及が膨大になっていた。しかし、その資料においても、ジュウォギが病因から消えることはなかったし、かんぜんにヤーシ・ニャパドラ（*yath nyapadhola*）（アドラ流の薬）が処方箋情報から削除されることはなかった。あらゆる手立てを尽くしても治らない病がこの世にある以上、ジュウォギは依然として最終的な説明手段として用いられる。そういった場面では、同じミレルワ（*mileruwa*）（治療者）の語彙で呼ばれる者のなかでも、「ムズングの」それを差し置いて「ニャパドラ」という修飾語で語られる施術師の出番が求められる場面が、まだあるのである。

この分野の長島［一九八七］の先駆的な研究は、キリスト教や西洋医学は、理論としては大きな影響を与えていないという衝撃的な結論で終わっている。この俗流近代化論者からすれば驚くべき結論は、じゅうぶんに評価されているとはいえない。私たちは無意識のうちに近代医療に駆逐される伝統医療という、俗流近代化論者の見取り図を内面化してしまってはいないだろうか。

「人間らしい医療」とは、近代的な医療とは別の考え方をもつ人間を排除することを意味しないであろう。「マクドナルド化」式の近代化論に代表される、近代化によってすべてが塗りつぶされるという想定はあまりに単純だったことは改めて言うまでもない。また「伝統」と「近代」の二分法が、有効ではないことは、あちこちで確認されている。それらは、たとえばバヤール［Bayart 1993, 2005］が論じるように、お互いに絡み合うように織り込まれている（interwoven）のであり、それぞれの要素を独立に取り出せるようなものばかりではないのである。[17] そうした認識に立ったとき、可能な、かつ重要性があると思われる作業は、地域や集団によってさまざまに示される近代と前近代の諸要素の絡み合いが、いかなるものであるか、その様態をひとつひとつ確認することである。その過程では、ことによると、「近代」と「前―近代」あるいは「非―近代」とのあいだの垣根が、一般に思われているほど決定的だったかどうかも含めて疑ってかかる必要があるかもしれない。社会変化としての「近代化」を軽視するつもりはない。人類史においてそれが非常に大きな変化であったことは、改めて言うまでもない。しかし、人間はそのような変化のなかをも「ただ単に、生きてしまう」のである。その意味での環境適応能力は、どれほど高く見積もっても足りないものである。こうした能力に期待しつつ、絶えずオートコソナスな概念と近代概念との接合をはかること。そのことによってのみ「人間らしい医療」に少しでも近づく道がしめされるように思われる。

最後に、一点だけ指摘しておくとすれば、ジュウォギの仕業にされる症状は、夜出歩く、踊り狂うなど、いずれも似通ったものであることだ。部外者からみると客観的現象、症状は共通であっても、その目撃経験についての解釈はいかようにでもつくようにも思われるのだ。医師にせよあるいは長老にせよ、ミレルワや特定の権威者による解釈と認定を経て、「災因」は確定される。しかもその確定された「災因」も、不測の要素があらわれると別の「災因」の可能性が疑われ、再解釈の可能性は常に開かれているといえる。そういった意味では現象と解釈の結びつきは、常に必然的なものではなく柔軟で、脆弱だとさえいえるかもしれない。

こういった人間の認識の「不完全さ」は、必ずしも後退や未開、誤りとか錯誤などの領域に押し込める必要はない。むしろ「人間」の想像力の領域を示すものとして考えることができるはずなのである［Nyamnjoh 2018］。

注

（1）「パドラ」は、アドラ（Adhola）という伝説上の創始者の名前に場所をあらわす接頭辞 par が接続されたものである。アドラ（*adhola*）（アドラ語で傷を意味する）に由来しているといわれ、その手傷で機動力を失ったことが、アドラがケニア・ルオの始祖とされる弟オウィニイと袂をわかち、当地に留まった理由の一つとされる。代表的クランを率いていた始祖の名前を冠して集団の名称にする、という手法は、アドラを含むルオでは古典的なやりかたであり、集団の創始者の子孫が集団を構成するようなグループでは、多くのリヴァー・レイク・ナイロート River-Lake Nilotes で古くから踏襲されてきたと推測されている［Cohen 1968: 146］。

（2）なかでも、子供専門の医療者をジョミウォル（*Jomiwor* pl. sing. *Jamiwor*）と呼ぶ。

（3）このあたりの事情については、一回「病院」で治療を受けた症状が繰り返されることを「病院が打ち負かされる」といい、占いとしかるべき治療（病院ではない治療）が必要であると考えるケニアのドゥルマについての優れた分析がある［浜本一九九〇：四八―五五］。

（4）LCは、もともと、ウガンダの政情が不安定だった時期に全土制圧を目指していたムセベニ（Yoweri Kaguta Museveni c. 一九四四～現大統領）率いるNRA（National Resistance Army）の地元支援組織として組織したRC（Resistance Council）が一九九三年公付された地方自治令（Local Government Statute 1993）によって改名され、一九九七年の地方行政法（Local Government Act, 1997）により法的根拠を与えられたものである。この1から5に至るLCにはすべて国会を模した議会があり、役職者が選挙で選ばれる（LC3、5は直接選挙、2と4は間接選挙）。Local Government Act No.1 of 1997, Section48（一九九七年三月二四日公布）によれば、副議長、書記、情報・教育・地域活性化、治安、財政、環境、女性委員会議長、青年委員会議長、障害者対策など国会や内閣を模した役職を設けることになっている。

（5）Crop husbandry office, Tororo 二〇一〇年調べ。

（6）このムルスワという植物は、このあたりによく生えているのかたずねると、オシンデ・アキソフェル氏がしばらくブッシュをあるいて探してきてくれた。その後、二〇〇一年八月一〇日には、手近に手に入る薬草をあつめることができた。私はこれを、*Microglossa pyrifolia*（和名はシマイズハハコ）であろうと推測する［Kokware 1998: 66-67］。

（7）ワリゴナ（*waligona*）、カルンバ（*kalumba*）、ミセウェ（*misewe*）、ティダ（*tida*）など類似の症状を示す「病名」が複数あるが、それぞれ微妙に異なっているが、最終的には治療に当たるミレルワの（占いや憑依託宣による）診断による。また、ある診断が下されても治療がうまくいかないと、当初の診断が覆されることもある。カルンバは女子供がかかることが多く、夜裸で踊り狂ったりするといわれ、昂じると森に入って行方不明になる。カルンバでは、真っ赤に焼けた炭を食べようとするなどの異常行動が報告されている。寄生虫が原因だと考えているものもいた。アクウォタ（*akwota*）という別名を持つ。観察できる症状としては、皮膚が黄色くなり、身体の一部が腐敗するとされている。いずれも、夜間に外に出たがり、裸で踊り狂うなど異常行動を示すとされる。施術師が依頼を受けて太鼓を打ち鳴らし、瓢箪のがらがらを鳴らしてその原因とみられる憑依霊を取り除く。なにが憑依しているかによって除霊の儀礼の際に歌われる歌や踊り、太鼓の調子が異なると言われる。施術師の能力は、こうした憑依霊に憑依されて一度儀礼を受け、憑依霊と何らかの取引をして折り合いをつけた結果であると解釈されることも多い。がらがらのなかには乾燥したトウモロコシの実が入っており「チェケレ、チェケレ（*chekele, chekele*）」と音がする。擬音も資料の一部と考え、記録しておく。

（8）植物の一種だが、時期がくると種が破裂するという特徴をもつ。*Tylosema fassoglensis*［Kokwaro, 1972: 71, 142, plate 44b; Kokwaro & Johns, 1998: 96-97］と推定される。

（9）後述(81)参照。毒は、サミアやソガから最近になって伝わったものであるとされる。後に紹介するムブルク（*mubuluk*）という野鳥の肉（特に肝臓とも）からつくられるものが有名だが、カタツムリの殻からつくるものもあるという。キテガ（*kitega*）、ムカマ（*mukama*）、マイエンベ（*mayembe*）などの異名を持つ邪術（および邪術師）も同じくバントゥ諸民族由来とされる。最近はマジニ（*majini*）というケニアのモンバサから入った邪術がごく一部で実践されていると伝えられている。

（10）ジュウォギ（*jwogi*）はここでは、近似的に「霊」と訳しておく。梅屋［二〇〇七、二〇〇八、二〇〇九、二〇一五、二〇一八］など参照。

（11）蔓草植物。赤と黒の種が特徴的である。学名未詳。

（12）学名*Lantana Camera*、和名はクマツヅラないしシチヘンゲ、ランタナ。

（13）種が灯油のように燃え、燃料にもなる。サンプルを現地で採集し、*Ricinus communis*と考えている。和名はトウダイグサ科トウゴマ属、トウゴマ、ヒマ（蓖麻）の別名をもつ。

（14）この薬の成分に関して口は堅かったが、おそらくは象の肉を利用したものであろうことが近隣の民族誌から推測される。

（15）ナイル・パーチに似た魚の一種。成魚は非常に大きくなる。

（16）樹木だが、すりつぶして水と混ぜ、牛に与えることがある。

（17）ちょうど、日本人の多くが数百年前まではなじみのなかった多くの西洋由来の文物に囲まれ、もはやそれが西洋由来であるかどうかなど立ち止まっては考えないように。

参考文献

《日本語文献》

梅屋 潔

二〇〇七　「酒に憑かれた男たち――ウガンダ・パドラにおける『問題飲酒』と妖術の民族誌」『人間情報学研究』第一二巻：一七―四〇。

二〇〇八　「ウガンダ・パドラにおける『災因論』――jwogi´tipo´ayira´lam の観念を中心として」『人間情報学研究』第一三巻：一三一―五九。

二〇〇九　「ウガンダ・パドラにおける『災因論』――現地語（Dhopadhola）資料対訳編」『人間情報学研究』第一四巻：三一―四二。

二〇一五　「葬送儀礼についての語り――ウガンダ東部・アドラ民族におけるオケウォの儀礼的特権」鈴木正崇編『森羅万象のささやき』風響社、三七五―三九六。

二〇一八　『福音を説くウィッチ――ウガンダ・パドラにおける「災因論」の民族誌』風響社。

長島　信弘

一九八七　『死と病の民族誌―ケニア・テソ族の災因論』岩波書店.

浜本　満

一九九〇　「キマコとしての症状――ケニヤ・ドゥルマにおける病気経験の階層性について」波平　恵美子編『病むことの文化――医療人類学のフロンティア』海鳴社、三六―六六。

渡辺公三

一九八三　「病いはいかに語られるか――二つの事例による」『民族學研究』四八（三）：三三六―三四八。

《外国語文献》

Bayart, Jean-François

1993　*The State in Africa: The Politics of the Belly*. London: Longman.

Bayart, Jean-François

2005　*The Illusion of Cultural Identity*. Chicago: The University of Chicago Press.

Cook, Albert R.

1945　*Uganda Memories(1897-1940)*. Kampala: Uganda Society.

Cohen, D. W.

1968　'The River- Lake Nilotes: 15th to 19th Century.' In *Zamani: A Survey of East African History*. B. A. Ogot & J. A. Kieran (eds.)

Nairobi: East African Publishing House.

Greenberg, J. H.
1963 *The Languages of Africa. Publication of the Indiana University Research Center in Anthropology, Folklore, and Linguistics 25*. Indiana University, Mouton.

Iliffe, J.
2002 *East African Doctors: A History of the Modern Profession*. Kampala: Fountain Publishers.

Kokwaro, J. O.
1972 *Luo-English Botanical Dictionary*. Kampala: East African Publishing House.

Kokwaro, J. O. & Timothy Johns
1998 *Luo Biological Dictionary*. Kampala: East African Educational Publishers Ltd.

Nyamnjoh, F. B.
2016 'Incompleteness and Conviviality. Towards an Anthropology of Intimacies', In *Postcolonial African Anthropologies*, Edited Boswell, R. and F. B. Nyamnjoh(eds.), pp.196- 216, Cape Town: HSRC Press.

Ogot, B. A.
1967 *History of Southern Luo, Vol. I, Migration and Settlement*. Nairobi: East African Publishing House.

●コメント

《コメント1》

アフリカの医療（medicine）について

ロジャー・バガンブラ（土取俊輝訳）

一　はじめに

本章では、神戸大学主催の「アフリカの医療のシンポジウム」での発表（本書収録の内容とほとんどが重なる）についていくつかコメントしたいと思う。私のコメントは、主に伝統的な医療に頼りがちなアフリカ人の問題、すなわち医療機関での汚職の存在と、伝統的な医療が西洋医学と連携する方法に焦点を当てている。

この最後の点に関して、適切に行われれば、アフリカの医療の復興のプロセスにプラスの影響を与える可能性がある、いくつかのステップと、アフリカの医療の将来にマイナスの影響を与える可能性がある、アフリカ諸国の既存の問題について指摘したい。私が論じるのは、伝統医療の合法化のプロセス、産業化のプロセスを通したその促進、適切な森林管理、薬用植物保護区の創設、都市計画、民族集団の平等、そして適切なガバナンスなどについてである。

これらの提案のいくつかはすでになされているが、まだ実現されていないものも多くあるため、これらのことは課題として残っているといえる。有名なアルバート・アインシュタインの言葉に、「知識という特権を持つ者には、行動する義務がある」とあるように、私が重ねて指摘する意味はまだまだあると考えている。

二 歴史をふりかえって

コンゴ王国に関する多くの歴史書には、一五世紀にポルトガルの植民地主義者がコンゴ王国の政治的社会的制度だけでなく、健康的に見える市民にも感銘を受けたことが記されている。しかし、ここで覚えておかなければならないのは、その市民の健康はアフリカの伝統医療によるものだったということである。

アフリカの伝統文化とその医療は宗主国によって過小評価されていた。しかし、独立後、二〇〇一年の「アフリカの伝統的な医療の国際デー」以来、毎年その真価はますます見直されている。

文化的多様性に関するユネスコの宣言、国際保健法の制定、そして多数の研究等のようないくつかの国際的な出来事が、その復活に直接的または間接的に貢献していた。

これらの外部機関はアフリカの闘争を理解し支持してきた。アフリカの人々の困難の歴史を知るならば、誰でも同情せずにはいられないだろう。これは非常に心強い兆候であり、国際関係における新たな傾向を示している。

三 アフリカの医療

アフリカのＨＩＶ感染患者がたびたび、聖水を与えるような霊的治療者を訪問したことは事実である。このことを切り口に考えてみよう。

私はアフリカの医学の二つの側面、すなわちＡ：薬用植物を扱うヒーラーとＢ：霊的なレベルを扱うヒーラーというものを便宜的に区別して、この問題について考えてみたいと思う。

今日、多くのアフリカの人々は伝統的な医療に頼り続けている。一部の人々は、この事実は人々の貧困によるものであると考えている。言い換えれば、彼らはアフリカの人々が十分に裕福であるならば、アフリカのほとんどの人々が西洋医学に助けを求めるようになれると主張しているのである。私の考えでは、この主張は部分的には真実だが、一般的にはそうではない。

第一に、私たちは伝統的な医療が、神によって与えられたものであることを知るべきである。アフリカ大陸でも多くの信者がいる聖書の言葉を借りるなら、神はアダムに必要であったから、イヴを創造することが出来たのである。伝統的な医療は、多くのアフリカの人々の生活の中で文化的側面も持っている。

1　薬用植物を扱うヒーラー

私たちにとって薬用植物に頼ることは、自然への私たちの愛着を表している。また、私たちが教わる植物や自然の薬用、および霊的側面についての教育も表している。したがって、たとえ貧困がなくても、多くのアフリカの人々は薬用植物に愛着を抱く。

なぜなら、薬用植物や木々は単純な自然のものだけでなく、神の存在とその現れでもあると考えられているからだ。したがって、ある種の病気に直面したとき、私たちが頼りにする選択肢がなければ、薬用植物か西洋医学を使うという選択肢がある。実際のところ薬用植物について、人々は、神が薬用植物の使用を通して助けてくれる、という深い確信を持っている。また、調査を深めると、健康や食物などの、私たちの日常生活のニーズを解決する手助けをしてくれるような、私たちの祖先の霊魂が木々の中にいる、と信じる人々がいることがわかるだろう。そして、これら双方の状況の中に、私たちは霊的な次元を見るのである。

今日では、世界の薬用植物や漢方薬の復活は、上記のようなアフリカの傾向にお墨付きを与えているので、私たちが自問すべき問題は、なぜ人類が最高の薬として、そのような慣習にまだこだわっているのかということである。

2　霊的なレベルで働いているヒーラー

アフリカの精神医学の問題は複雑なものであり、多くの解釈の対象となっている。そのアプローチは、宗教的な人々とそうでない人々とでは異なっている。キリスト者であり教師でもある私は、理性的なアプローチをとりたいと思う。キリスト教の文脈でいえば、大地を創造している間、神は人々にも様々な種類の贈り物を与えたが、聖書にあるような啓示という贈り物を与えたこともあった。つまり、アジア、アフリカ、ヨーロッパなどで、神は現地の人々に贈り物を与え、それぞれが可能な限りその贈り物を発展させたのである。しかし、キリスト教の教えに即して考えると、霊的な世界では、それらは二つの力、つまり神の力とサタンの力ということになる。一つは善のもののためであり、もう一つはより悪いもののためである。この対立する力の二元性は、世界の多くの現象や生物にも表れている。それは完璧につり合いが取れていることもあれば、二つの力が衝突している状態が続いていることもある。

他の大陸と同様に、アフリカでもこの二元性は存在し続けている。アフリカの霊性を知らないことにより、一部の外国人はそれを過小評価している。しかし本当は、私たちがそれらを両方とも持っていた昔の時代から、アフリカの霊性は、家族レベルにおいてさえ観察可能である。私たちは、家族をウィッチクラフトや悪霊から守るために、神から与えられた良き力をもった能力者を頼っていることが多いのである。

私たちは日常生活の中で、形式的な西洋医学や植物を使うヒーラーでは治癒できない病気の症例を経験する。私たちは、いくつかの病気は精神的な原因によるものであると信じており、そのような場合、患者は精神的なケアを必要とする。ガボンなどのようないくつかの国では、病院は霊的なヒーラーのリストをいくつか持っており、患者が彼らの助けを必要とするたびに、病院はヒーラーのもとへ患者を行かせる。アフリカの多くの国々には、霊的な病気に対処するためのヒーラーや牧師などが大勢いる。

アフリカにおいてよくみられるのは、自然の贈り物を与えられて神と共に働いているヒーラーである。そしてまた、それとは別に多くの好ましくないヒーラーがいる。悪魔の霊と共に働き、人々の純真さにつけ込んで、金儲けをしたいと思っている、偽医者や偽の牧師などがたくさんいることによって、多くの問題が生じている。聖書にはこう書かれている。「ただで受けたのだから、ただで与えなさい」（「マタイによる福音書」一〇・八）［日本聖書協会　二〇〇八：（新）一七］。

そしてまた、神の癒しのプロセスでは、自分だけがそのプロセスがどのようになるかを知っているので、たとえ二人が同じ問題について同じヒーラーに相談したとしても、結果が同じになるかどうかは分からない。霊的な癒しにおいて最も重要なのは、癒しの力と信仰の真実である。

真実というのは、ここでは、ヒーラーや牧師が人々を癒すために使う力の本質を指している。それは、神や悪魔によって与えられた力のことである。キリスト教の文脈でいえば、たとえば聖書には、「あなたがたは、その実で彼らを見分ける」（「マタイによる福音書」七・一六）［日本聖書協会　二〇〇八：（新）一二］と書かれていることが参考になるかもしれない。

世界保健機関は伝統医学に十分な根拠があることを認識するようになった。アフリカの伝統医療の多くの実践者にとって、これは大きな勝利である。アフリカの伝統医療には多くの良い側面があるが、更なる改良が加えられれば、より良いものになるだろう。

四　アフリカの医療機関と汚職／腐敗（コラプション）

アフリカの一部の病院では、無料のはずの国立病院でさえ、患者は病院の入り口でお金を払うように求められることがある。汚職／腐敗である。これは、しばしば医療スタッフと共謀して行われることもある。

こうした汚職／腐敗の問題は、多くのアフリカの国々に存在しており、厳格さの欠如、えこひいきの横行、倫理の欠如、労働者の給与の不払いが原因となって、ほとんどの公共のセクターに存在している。その使命の性質上、医療機関におけるこの問題は、どの機関よりも非常にデリケートである。医療機関は人命を預かっているので、労働法や、ＷＨＯや保健省によって確立された行政の民主主義の原則、そして倫理規範が厳密に適用されるべきである。

しかしながら、残念なことにアフリカの多くの国では、しばしば問題があることが知られている。支配的な当局は、容易にコントロールできる親族を責任者に任命する。この分野では、彼らは医療機関にもともと許された予算だけでなく、国際医療援助などの資金も悪用していることがある。リーダーがこうした悪い慣行に手を染めると、資金がなくなり、一般的なスタッフは、数ヶ月または数年にわたって給与なしで働くことが多くなる。そうなった彼らにとって、お金を稼ぐための唯一の選択肢は、汚職しか残されていないのである。

この現実は、聖職と呼んでいいはずの医療スタッフが患者に対して日常的に不正な金儲けを行う傾向にある理由の一部分を説明している。この雰囲気の中で、汚職／腐敗は多くの人々に受け入れられる一種の文化になってしまう。こうしたシステムができてしまうと、患者は、より良い治療を受けるために追加でお金を支払うことになり、進んで賄賂を支払ってしまうことにもなる。お金、モノ、名誉にとりつかれてしまって、汚職／腐敗に関与している人々もいるのである。

伝統的な社会的価値の消失は、現代のアフリカ人が直面している主要な問題の一つであり、医療機関の汚職／腐敗もその一例である。アフリカの伝統的な医療が成功するための最良の方法の一つが、現代の医療機関と協力することであるという事実を考えると、この汚職／腐敗の問題とガバナンスの問題を解決することが早急に必要である。というのも多くの場合、アフリカの国々は国際機関などから資金援助を受けているからである。たとえば医療分野において、アフリカの伝統的な医療の日を記念して、WHOがこれらの国々に対して、さまざまな種類の支援を約束していることを我々は知っている。しかしながら、この支援がうまく管理されておらず、現代の医療機関が依然として問題を抱えている場合、この状況はアフリカの伝統的な医療にとって有益ではない。

五　伝統的な医療を発展させるには

1　法整備

WHOがアフリカの伝統的な医療のポジティブな役割を認識した今、その発展を加速させる必要がある。国家レベルでのアフリカの伝統的な医療の合法化は、アフリカの国々の最優先事項である。そのため、アフリカの人口が増加するペースを考えると、その増加の速さが、ある程度は伝統的な医療のお陰である、ということを認識しなければならない。したがって、この伝統的な医療を強化する必要がある。アフリカの伝統的な医療は、非合法のままではうまく発展できない。これは、医療の発展を成功させるために、この戦いの主役になろうとしている人がいることを意味する。伝統的な開業医は、権利と義務において国によって法的に認められなければならない。すべての開業医の情報を収集し、行動規範を確立し、国レベルでの伝統的な医師の団体の利益を代表する組織が確立される必要がある。これは、伝統的な医師の団体がまだ弱く、また偽の開業医が大勢いるためである。このことへの不満は、多くの人々が抱いている。

この現実は、アフリカの伝統的な医療につきまとう悪いイメージをもたらしている。まっとうな伝統的な医師は名声を享受し、十分な報酬を得て尊敬されるべきなのだが、偽医者によって評判がそこなわれてしまうのは惜しむべきことである。したがって、伝統的な医療従事者の職業を保護することが、この合法化プロセスの目的である。また、今日では、伝統的な医療の成功も国際的な要因に左右されているが、国際的な合法性もその一つである。周知のように、国際的な領域では、国家の合法性は非常に重要である。より多くの外部パートナーは、法的に確立された機関と協力することを好む。そのため、海外からの監視を可能にするために、アフリカの開業医は、まず現地で合法化されなければならない。

また、公衆衛生の分野はＷＨＯと密接に関係していることを覚えておく必要がある。上述のように、ＷＨＯはアフリカの伝統的な医療の国際デーを確立する際に、大きな役割を果たしてきた。これは、アフリカの伝統的な医療がその活動を拡大したい場合、そのやり方を適合させ、新しい機関と協力しなければならないということである。そのための最初のステップは、ＷＨＯと国務省によって確立された、いくつかの倫理または規範の合法化とすりあわせである。また、この法的プロセスは、産業化のプロセス、西洋医学や海外のパートナー等との提携のような、他のプロセスを後押しするはずである。

２　伝統的な医療の産業化

アフリカの人口がどのように増加しているか、そして最も重要なこととして、この人口がアフリカの伝統的な医療にどのように依存しているかを見ると、アフリカの医療を適切な方法で産業化することが急務である。この産業化は、二〇〇一年にＷＨＯから支援を受けた、アフリカの伝統的な医療の国際デーに参加した組織などを通して、アフリカ連合によっても推し進められている。伝統的な医療の産業化を成功させるためには、この産業化のプロセスは、近代医療と手を携えて進めなければならない。

３　西欧の医療機関との連携

アフリカの医療の課題は、アフリカの人々だけでなく、グローバル・ヘルスを守り、世界中の人々によってより良く活用されるために、改善が必要であることだと述べた。これは西洋医学との協力なしには決して達成されない。協力と相互理解がキーワードになる。

アフリカの哲学的な方法で問題にアプローチするなら、コンゴでよく知られたことわざに、Bole bantu, bukaka songoというものがある。このことわざの意味は、「人間の健康は連帯の中にあり、病気は個人の中にある」というものである。健康のためには、連帯せねばならず、個別性だけを主張するものは、病いから逃れることはできないのだ。

アフリカの医療には、薬用植物の有効成分を決定するための生物学的分析のような、西洋医学のいくつかの優れた側面を組み込む必要がある。この技術と医療を組み合わせる能力は、患者の治療薬や、薬の加工、携帯および保管のプロセスにとって有益である。

ＨＩＶなどのいくつかの病気は非常に専門的で複雑であるため、たとえアフリカの医療が何らかの外的側面を治療できるとしても、最終診断としては血液検査をして確認しなければならないが、これは西洋医学でのみ可能である。そのため、アフリカで血液やセルロース関連の病気と戦う場合は、協力することが重要なのである。また、緊急の場合、西洋医学のほうが信頼性が高いことを認識しなければならない。

最後に、時代の幅を広くとれば、アフリカも今日の西洋医学と呼ばれるものの一部とみなすことができることを、覚えておくことが重要である。先史時代のエジプト人を起点としてアフリカの人文科学を研究すると、西洋医学へのアフリカからの貢献は非常に重要であり、西洋医学の多くはアフリカからエジプトを介して来たと理解されている。そのため、アフリカ人も本来は、いわゆる西洋医学とよばれるものに文化的に所属している感覚を感じるべきであるのに、そう感じているものはほとんどいないようにみえるのは残念なことである。

4　良好な国家および国際的な商業環境

アフリカの伝統的な医薬品は、国内および国際市場での商業化が急務である。しかしながら、製薬業が伝統的な医薬品の製造と商品化を希望する場合、国際市場で競争するためには、薬物が国際基準に従うことを保証するＷＨＯと厳密に連携して動いている、保健省からの特別な許可が必要である。そのため、アフリカの医療にとっては、医師が誰の原理を知っているかが非常に重要である。そしてまた、最終的には彼らの戦いに必要な手段となる可能性のある、国際的な保健法の原則を理解することも重要である。したがって、合法化のプロセスは、公衆衛生問題の扱いにくさに関する、他の多くの側面と関連している。

また、アフリカの医薬品の産業化は、アフリカのメーカーを世界の大手製薬会社との競争の過程に置くことになるということに注意する必要がある。私たちは皆、特に征服された地域にいるときの企業社会がいかに難しいものかを知っている。したがって、人々の生活を損なう可能性のある対立する状況を避けるために、アフリカ諸国が団結し続け、国際保健法を使用して利益と戦うことは非常に重要である。

5　大学、国立のＷＨＯ事務所、外務省など公的な機関との連携

私は、国際社会はアフリカの伝統的な医療を後押しするために、努力を続けなければならないと思う。最良の方

法の一つは、伝統的な医療やアフリカ諸国との協力が期待できる国や大学を見極めることである。日本のたとえば京都大学、大阪大学や神戸大学のような主要な大学には、学者による特別なチームがあってよい。アフリカ由来の薬が、サプリメントの形であれ、日本で販売される可能性があるとすれば、厚生労働省の許可、検疫所の許可、国際貿易、および外務省などの関係省庁やWHO地域事務所、または日本の委員会などでの議論と許可が必要であろう。そうした手続きに携わるためである。

国際協力のプロジェクトとして、選ばれた人々は、アフリカの伝統的な薬の販売を担当し、その代わりにこれらの薬局は減税を受ける。また、日本のような国が国際展示会を開催してアフリカの医療の推進に参加すれば、アフリカ人が日本に来てJICAの監督の下で日本の潜在的な商業パートナーに出会える可能性がある。これは、日本とアフリカの関係を後押しするものになるはずである。

また、安全性や、薬物の投与量、持続時間、パッケージ処理など、アフリカの医療の弱点についても話をした。これらの地域でアフリカの医療が日本のパートナーを見つけることができれば、非常に良い影響を与えることは間違いないだろう。

6　森林資源の管理と都市化

誰もが知っているように、アフリカの医療の特異性は、原材料のほとんどが自然環境由来のものだということである。しかしながら、商業目的のために、外資系企業と国内企業は、伝統的な医療からその原材料を奪う切削と採掘のための探査を、無秩序に試みているようにみえる。

アフリカの国々は、地方と都市部の開発の違いなどといった、多くの理由で急速な都市化に直面している。実際、現在のアフリカの都市化には何の制御もされていないので、人々は家を建てるために木やハーブを切っている。これは原材料の不足をもたらしている。そのため、伝統的な開業医は、原材料を入手するために長距離を移動せざるを得ない。結果として、伝統的な医薬品やサービスの価格が高くなっていることは言うまでもないことである。

また、私たちは皆、アフリカの薬がある世代から次の世代へと継承されていくものであることを知っている。これは、周囲の自然の観察を通じて、知識が若者に伝達されることを意味する。周囲の自然を観察しながら、長老たちは植物やハーブの名前や機能を若者に教える。このような計画を立てない傾向が続くと、アフリカの伝統的な医療の適切な進歩が遅れる可能性がある。植物の秘密を知っている長老たちは、自分の知識を適切に伝えることができるからである。この状況をみて私たちが考えなければならないのは、自然の役割と重要性であり、大規模な植物園の建設や森林の保全や管理などのような、根本的な解決策を講じることが求められている。

建築の面では、このことは若者や高齢者が文化関連の問題について交流できる、コミュニケーションスペースのある植物園を含んだ、都市中心部の家を設計する必要性について教えてくれている。アフリカの有名なことわざには、老人が死ぬことは図書館が焼けてしまうようなものだというものがある。伝統的な医療の分野では、多くの専門家や開業医がデータを収集している。しかしながら、これらのデータには特別な収集ポリシーが必要であり、各国政府の意向が関与している。これにより、政府などの当局は、①各地域に薬用植物を保存する植物園を建設することができ、②伝統的な薬を産業化のプロセスに入らせることができる。そこでは、誰かが成文化したものに従って、製造や、安全性、包装の最新技術を使用して、伝統的な薬が生産される。

アフリカの医療の未来は、西洋医学との協同の中にある。これは、西洋医学にはアフリカの医療の精神についての重要な側面もあるためである。この側面は、人命を救うために、どんな犠牲を払っても挑戦するという決意に存するものである。これは私たちがkimutuと呼んでいるもので、人間を最優先にする力である。

西洋医学のおかげで、多くの病気がアフリカで治療されたことを忘れてはならない。そのため、現代の医師と伝統的な医師が、優越感や劣等感なしに、手を携えて働く研究センターや病院を設立することが必要とされている。なぜなら、西洋の訓練を受けた医師の中には、西洋の学歴のために優れていると感じるものもいるであろうし、伝統的な医師の中にも、彼らの経験と知識に裏打ちされた医療には、たとえ科学的根拠が現在はあまりないとしても、優れているものがいるのはまちがいないからである。

7　民族の平等と健康機関の良好なガバナンス

アフリカの各国は、部族主義や腐敗などの多くの内在的要因によって弱体化されている。このことは、最終的には国家の統一と発展に悪影響を及ぼす。これらの問題を認識し、開発プロジェクトの設計中にこれらの問題を回避する方法を確認することは、非常に重要である。

アフリカの伝統的な医療は、最初から民族的医療である。これはつまり、異なるヒーリング・アプローチは、異なる民族集団に属しているということである。アフリカには、特定の病気に対してより良い薬を開発した民族集団がある。もちろん、これらの民族集団は、薬を他の国民と喜んで共有している。それは民族の誇りと国民的アイデンティティの感覚でもある。アフリカの医薬品の産業化の過程で、すべての伝統的な医師は、西洋の医師など他のパートナーと医療知識を共有しなければならない。共有の概念はアフリカ文化の基礎の一つであるため、共有することは大きな問題ではない。

問題は、伝統的な医療の推進に携わる人々に対する、中央政府の態度に関連している。伝統的な医療の産業化のために、開業医は銀行のクレジットのような国の財政援助を必要とし、最終的には彼らの医療製品を合法化し、それを商業化するために国の認証を必要とする。つまり、国家の役割は非常に決定的なものだということである。

ほとんどの国が異なる民族集団のモザイクである、アフリカ社会の特異性を考慮することにより、すべての民族集団に対して公平である必要がある。産業化はすべての民族集団を満足させなければならない。開発を進め、国家の団結を強化するために、このプロセスのバランスが取れていないと、プロセスが損なわれる可能性があると考えている。知っての通り、これらの当局が一つの民族集団のみを支持し、伝統的な医療のビジネスが一つの民族集団のみに支配されている場合、伝統的な医療の将来に影響を与えるであろう。

六 結論

私のコメントは、アフリカの人々のためのアフリカの伝統的な医療の位置や役割、そしてグローバル・ヘルスにおける、その適切な役割を保証するための、いくつかのステップを指摘しようとしたものである。注意すべき重要なことは、人類の未来は世界の医療の中にあり、グローバル・ヘルスの実現は、これらの実現へむけた計画を立てることと、実際に行動を起こすことにかかっているということである。そのためには、計画のあらゆる側面についての知識や理解が必要である。

このプロセスに長い間関わってきた医療関係者や科学者たちは、何世紀にもわたって存在していたような優越感や劣等感などを極力排除して、文化の真の対話を確立するためにあらゆる適切な手段をとるべきである。

最後に、一九九九年から二〇〇九年までユネスコ事務局長を務めた松浦晃一郎の、文化の多様性に関する宣言の前文を引用したいと思う。「文化の多様性は、自然の生物多様性のようなものである」。この主張は、すべての人類文明のさまざまな医学的アプローチを考慮する必要性を指摘している。したがって、医療人類学への新しいアプローチを備えたグローバル・ヘルスは、平和で、楽しく、共有の精神をもって、これまでのように支配を感じることなく、地球市民を満足させることができるような、グローバル・ヘルスのシステムを確立できるはずである。

参考文献

日本聖書協会
　二〇〇八『聖書　新共同訳　旧約聖書続編つき　ハンディバイブル』日本聖書協会。

《コメント2》

「アフリカにおける健康と社会」に関する考察

――「宗教」および「人権」との関わりを中心に

土取俊輝

本書では、アフリカの健康や医療に限らず、広く人類社会全体に係る諸問題が議論されている。本稿では、本書が扱う議論を、主に「宗教」や「人権」との関係に注目して考えてみたい。

宗教と近代医療の関係は、緊密かつ複雑である。杉下論文が示すところによれば、一九九〇年代当時、不治の病であったＨＩＶ／エイズに対して近代医学は無力であった。杉下のいたマラウイで、この病に対する人々の不安や苦悩に対し医療とは別の角度から解答を与えたのがアフリカ独立教会、すなわち宗教であった。このように、宗教や呪術が病気などの不幸や災いの原因の説明に役割を果たす時、近代合理主義に基づく価値観からは、「迷信」ととらえられ「不合理」と断じられることも多い。一般に、近代医学と呪術や宗教は合理／非合理という価値基準において対立するもののように捉えられがちである。しかし、宗教や呪術は近代科学では説明のつかない様々な事象に意味を与え、生きる意味や、人が死に至る哲学的・根源的な理由などの人間の生に深く関わる問いに解を与え、近代科学が答えられない領域を補完する。ゆえに、近代合理主義的な価値観が世界の共通言語となった今日においても、宗教や呪術は重要な役割を果たしている。

ここで描かれる近代医学と宗教的実践との関係は、無力な近代医学／有用な宗教というような単純な図式で捉えられるものではない。「エイズは病院では治療できない」と唱えてアフリカ独立教会の宗教活動に身を投じた人々であっても、結局はＨＩＶ／エイズの感染とそれによる死からは逃れられなかった。ここでは、無力な近代医学／有用な宗教という図式は崩壊してしまう。そこで、マラウイの人々は近代医学を排除する宗教ではなく、近代医学を許容する宗教、という形で教義の解釈を柔軟に転換させた。そして、近代医学の成果を活用しつつ、逃れられない死の恐怖に対して、霊的で精神的な癒しを患者に与えたのである。

この事例は、恐山のイタコの口寄せの事例を思い起こさせる。イタコの口寄せは、死んだ人より生きている人にとってより大きな意味を持つ。特に自殺した人の後に残された遺族の「グリーフワーク」(注：身近な人との死別に伴う悲しみと立ち直りのプロセス)には、効果があるとされる［藤井・柏葉・大山・松下 二〇一八］。残された遺族にとっては、イタコが降ろす霊が本物かどうかよりも、亡くなった家族との関係において、自ら納得できる言葉が死者の名のもとに語られることのほうが重要なのである。

このように考えると、マラウイのＨＩＶ／エイズと宗教的実践との関係は、単純な二項対立ではなく、逃れられない死という絶望的な状況の中で能動的に生きるための補完的なものであるといえる。ある文脈では、宗教と近代医療とは対立し合うものではなく、互いを補い合っている。近代的なものと前近代的な(と考えられている)ものとの関係性の複雑さについては、梅屋論文でも触れられている。

人権とは、全ての人間が生まれながらにして持ち、いかなる社会においても尊重されるべきものと考えられている。しかし現実の世界では、全ての人に人権を保障することは多くの困難を伴う。西論文では、「例外を許容する現実的な目標を受け入れることとは、例外とされた人々に対する責任を免除されることになるのか」と問う。「全ての感染者をゼロにする」という規範的な目標は理想的なものだが、達成することは容易ではない。可能だとしても長い時間がかかる。対して、九〇—九〇—九〇目標のような一定の例外を許容する目標は、達成が比較的容易であり、地に足の着いたものであるといえる。ゆえに、グローバルなＨＩＶ介入が、規範的な目標よりも、現実的な目標を掲げることは理解できる。

しかし、現実的な達成目標を掲げることで例外となる人々への責任が免除される、とする前提は、倫理的な問題を回避できない。規範的な目標がいかに現実的でないとしても、掲げられた理想が正しいものである限り、棄却することはできない。こうして、短期的に現実的な目標を掲げたとしても、最終的には例外なく全ての人を感染から守るべきではないか、という疑問が残る。全ての人の人権を保障することが一見不可能に思える状況にあっても、人権を保障されない人を放置してよいということにはならないのである。

本書の随所で登場する人権と文化の相克、というテーマは、女子割礼／女性性器切除や捕鯨など、様々な分野において世界中で議論がなされている問題である。これらの問題は、一見正しいと思われる主張であっても、特定の文化の文脈によっては別の物差しがありうること、そして、だからこそ、簡単な解決方法はないのだ、ということを示してくれる。またこうした問題意識は、文化の相対主義と普遍的価値観を巡る息の長い哲学的論争の的にもなっている。

このように、本書で展開される議論は、アフリカでの健康と社会に関する問題のみを論じたものではなく、我々が暮らす社会における様々な問題を考える上での多くのヒントを提供してくれる。アフリカにおける健康と社会の議論は、どこか遠くにある我々と縁遠いものではなく、今ここにある我々の生活、私たち一人一人の生に繋がっているものなのである。

参考文献

藤井博英・柏葉英美・大山一志・松下博宣

二〇一八「自死遺族のグリーフワークを促進する民間信仰の実態」『東京情報大学研究論集』二一（二）：五―一七。

《コメント3》

現代アフリカにおける医療と統治をめぐって
――南部アフリカ牧畜民研究の視点からのコメント

宮本佳和

一　はじめに

本章は、本書のもとになった公開シンポジウム「アフリカにおける健康と社会―人間らしい医療を求めて」の報告、および本書の論文に対してのコメントを記したものである。アフリカ研究者の立場から、シンポジウムのタイトルや趣旨にもある①人間らしい医療、そして②医療制度と国家の問題についてコメントをしたのち、最後に本書の議論がアフリカの牧畜社会における③家畜への医療と感染症対策の問題とも関連する点について述べる。

二　「人間らしい」医療?

シンポジウムおよび本書は、グローバル・サウスにおける「人間らしい医療」のあり方を学際的かつ多専門的に追究することを目的としたものである。グローバル・サウスの中でもアフリカに焦点を合わせ、グローバル化する医療技術とそれぞれの社会が持つ価値観の接点として医療現場を捉えることに本書の特色がある。「刊行によせて」

によると、「人間らしい医療」とは、主にグローバル・ノースを舞台に医学の分野で展開され、患者の価値観を重視した医療のあり方を指す。医師が患者の疾患にばかり注目して、その人間としての存在を軽視し、思いやりのあるケアを提供しなくなったことへの批判から議論が展開してきたものである。

こうした背景をもつ「人間らしい医療」を、アフリカを舞台に扱うことについて、筆者はシンポジウムを拝聴していたときからよくわからなかった。この「人間らしい」とは具体的に何を指しているのだろうか。そして、アフリカにおける「人間らしい医療」は何を批判の対象としているのだろうか。「刊行によせて」で少し触れられているものの、具体的な定義や射程とする範囲について述べられておらず、本書の全体像がつかみにくかった。

本書に収められている五つの章の中で唯一「人間らしい医療」について言及している梅屋（五章）では、「「人間らしい医療」とは、いかにして可能だろうか」（一〇三頁）という問いかけから始まるが、用語については保留にされたまま、「「人間らしい医療」とは、近代的な医療とは別の考え方をもつ人間を排除することを意味しないであろう」（二二四頁）と結論づけている。グローバル・ノースに由来する医療ではあるが、在来の医療概念を排除しない医療を「人間らしい」と呼ぶのだろうか。

そもそもグローバル・ノースの医療は、人権的保障としての医療を前提としており、保障されることが当然のものとされている。一般的に貧困削減や基本的人権の保障が急がれるとされるアフリカにおいては、当該社会において人びとが行っている医療行為は、西洋医学的には「正しくない」医療とされる傾向にあるだろう。この点に対して現地の医療行為から批判的に議論をしているのが杉下（一章）と梅屋（五章）であり、患者の価値観、つまり当該社会の医療概念にもとづいた医療の重要性を指摘していると考えられる。とすると、グローバル・ノースにおいて純粋科学としての医学の「正しさ」を批判する「人間らしい医療」は、グローバル・サウスの文脈においては絶対視されがちな近代医療を批判するということだろうか。

杉下（一章）と梅屋（五章）についての「人間らしい医療」は上述のように理解することもできるが、西（二章）、佐藤（三章）、そして井田（四章）においてはどうだろうか。後者の三つの論文はそれぞれ、グローバルの生産物としての抗HIV治療の配分、医療施設での医療従事者の待遇、そして病者の病院へのアクセス問題を主に扱っているが、いずれも近代医療の普及を前提として、近代医療から排除される者や医療サービスの提供の問題を指摘していると考えられる。これらの議論における「人間らしい」とは、近代医療を受けること／にかかわることということだろうか。

もちろん、五つの章は、それぞれの視点から当該の医療の問題を描きだしており、各論点はアフリカにおける公衆衛生や医療をミクロな視点から理解するうえで重要である。しかし、それぞれの対象における「人間らしい」は、分析者の視点によって異なるであろうし、さらに多専門性を特徴とする本書においては、その内容に幅があるため、定義や議論の範囲についてもう少し説明があれば、より理解しやすくなるのではないだろうか。以上が全体を通していちばん疑問に思った点である。

加えて、この「人間らしい医療」の問題は、グローバル・ノースの医療における権利の問題を含んでいるがゆえに、西（二章）が鋭く指摘するように、現代アフリカにおける医療福祉と国家による統治の問題が浮かび上がってくるように思える。

三　医療制度と国家統治

西（二章）が詳述するように、南アフリカやナミビアにおいて実施される現金給付プログラムを事例に、労働に基づかない新たな配分のあり方を考察するファーガソンの議論［Ferguson 2015］は、近年のアフリカ諸国の医療福祉の広がりを考えるうえで示唆に富むものである。たとえば、ガーナの国民健康保険〔浜田 二〇一五〕や、本書でも扱われているエチオピアの抗ＨＩＶ治療プログラムなどが展開されてきており、こうした動きを国民の安全をターゲットにした国家の統治プログラムの広がり〔西 二〇一九〕として捉えることも可能であろう。

グローバルな生産物の分け前としてアフリカの医療福祉を捉えてみると、配分される生産物はどこからくるのか、そして提供する側の権利はどのように扱うのかという疑問がでてくる。ファーガソンの配分の政治の議論への批判の一つに、無拠出制の現金給付制度を支える財源や、制度から除外されている生産者の権利の問題への指摘があるように、医療福祉そのものや提供する側のことは問題とはならないのだろうか。誰もが医療サービスを権利としてではなく正当な分け前として受けることができ、さらにその配分が広範に行われるのであれば、佐藤（三章）が危惧するような医療従事者の動機づけの問題はますます深刻になるようにも思われる。西（二章）が指摘するのは、制度が内包する問題が原因で潜在的な受益者が排除される点であるが、それと同時に、佐藤（三章）の扱う医療従事者が置かれた状況や、井田（四章）が指摘する病院内部の権力関係といった与益者側も含めて、正当な分け前としての医療福祉の問題点があるように思われる。

また、「国家装置」という枠組みから外れる／抜け出す人びとへの配分の問題をどのように扱うのかという疑問もある。分け前の配分という主張の前提には、特定の帰属意識や、権利の拠り所になるものがあると考えられるが、国境を越えて放牧をしながら生活をする牧畜民や、いわゆる「難民」と呼ばれる人びとへの配分はどのように考えればよいのだろうか。この点もファーガソンの議論においては看過されており、医療福祉の分け前の文脈においても検討すべき点ではないだろうか。

特に筆者の調査地域はナミビアとアンゴラとの国境付近であり、この地域では牧畜を生業とする人びとが国境を行き来しながら生活をしている。さらに調査村には、アンゴラ内戦から逃れてきた、いわゆる「アンゴラ難民」と呼ばれる人びとが暮らしており、中にはアンゴラとナミビアのどちらの国籍も有していない者もいる。ナミビアにおいて社会扶助制度を利用するには政府が発行するＩＤカードが必須とされるが、こうした国籍をもたない者はそもそもＩＤカードがないため、最初から分け前から排除されている状況にある。一方で、ＩＤカードさえ有していれば、現金給付や医療などの社会扶助制度へのアクセスは比較的容易であるため、同じ村の中でも人によっては毎月の給付金が定期的な現金収入になっているケースもある。だからといって、個人に直接ひもづけされた制度が財の蓄積を助長し、当該社会の格差を生みだしているというような単純な構造でもない。そこには、ファーガソンのいう積極的な依存関係を見いだすことも可能かもしれないが、より具体的な事例から検討していく必要があるだろう。また、同じ社会扶助制度でも現金と医療とでは、配分されたあとの文脈が異なるように思われるが、この点はどのように議論していけばよいのだろうか。

四　家畜への医療と感染症対策

最後に、本書の議論をアフリカの牧畜民研究の視点から眺めた際に、人間への医療だけでなく、牧畜民の家畜への医療とも関連しているのではないかと思われた点についてコメントを付け加えたい。特に、統治の問題としての獣医療は、配分の政治の議論にも広がりうるのではないかと思われる。

本書の内容を大別すると、感染症の流行と対策、医療施設をとりまく問題、特定社会における病の観念の三点になると思われるが、それぞれの論点は牧畜民の家畜への医療を議論する際にも有用のように感じた。一般的に牧畜民にとっての家畜は、市場で売買することもあるが、畜産物のような商品として捉えられていることは少なく、多くの場合、経済的・社会的・文化的・儀礼的な価値が内包された特別な存在である。そのため、特別な価値をもつ家畜への医療行為に関しても、グローバル化する医療技術とそれぞれの社会が持つ価値観の接点として捉えて分析することも可能ではないだろうか。

特に家畜の感染症とその対策は、一九世紀後半にアフリカ全土でパンデミックが起こったとされる牛疫（rinderpest）をはじめ、現在もワクチン接種等の対策が行われる牛肺疫（contagious bovine pleuropneumonia：CBPP）や口蹄疫（foot-and-mouth disease：FMD）など、時間的、空間的に広く報告されている。時期や地域によって異なるが、白人農場が国の大部分を占める南部アフリカ地域では、血清やワクチンの投与が、入植白人の領地で飼養される家畜だけでなく、黒人の家畜へも積極的に行われていた。ナミビア北西部においては、一九三八年から始まった黒人の家畜へのワクチン接種に対して強い抵抗があったことが記録されており、こうした背景から人間へのポリオ・ワクチンが導入された際にも反対運動が起こり、スムースに進まなかったとされる［van Wolputte 2007］。

この点は、近年のアフリカの牧畜民研究において、人間と家畜との関係を支配と従属の関係、つまり家畜を「飼いならされた」存在として捉えずに諸現象を検討する試みがなされていることを考慮に入れると［波佐間　二〇一五；楠　二〇一九］、医療をめぐる諸問題も検討し直す余地があるように思われる。特に楠がケニアの牧畜民への統治を検討しているように、人間と家畜の両者に主体を付与した牧畜集合体への統治として捉え直すと［楠　二〇一九］、現在行われる医療福祉の分野での配分の政治が異なった見え方をするかもしれない。

五　おわりに

以上の点が本書全体を通して疑問に思った点や、議論に触発されて生じたコメントである。本書が扱うトピックは、近年の新型コロナウイルス感染症（COVID－19）の世界的な広がりをグローバル・サウスの視点から議論するうえでも示唆的であるため、学際的かつ多専門的な特徴を生かしながら、今後も活発な議論が望まれるであろう。各論の対象社会の状況とともに多角的に検討されたい。

参考文献

日本語文献

楠　和樹
　二〇一九　『アフリカ・サバンナの〈現在史〉——人類学がみたケニア牧畜民の統治と抵抗の系譜』昭和堂。

西　真如
　二〇一九　「序（特集　国家と統治の人類学）」『文化人類学』八四（一）：五—一八。

波佐間逸博
　二〇一五　『牧畜世界の共生論理——カリモジョンとドドスの民族誌』京都大学学術出版会。

浜田明範
　二〇一五　『薬剤と健康保険の人類学——ガーナ南部における生物医療をめぐって』風響社。

外国語文献

Ferguson, James
　2015　*Give a Man a Fish: Reflections on the New Politics of Distribution*. Duke University Press.

van Wolputte, Steven
　2007　Cattle Works: Livestock Policy, Apartheid and Development in Northwest Namibia, c 1920-1980. *African Studies* 66(1): 103-128.

あとがき

この本の基となった二〇一七年の公開シンポジウム「アフリカにおける健康と社会――人間らしい医療を求めて」では、本書に収められた論考のうち、杉下、西、佐藤、井田の四名が発表を行い、落合とブガンブラがコメンテーターとなって、関西の各地から参加した約六五名の医療関係者、医学・人文・社会科学分野の研究者、国際開発の実務者、学生、市民との活発な議論が交わされた。

今回のシンポジウムでの議論で明らかになったのは、国や時代や社会の中でのその人の立場にかかわらず、生身の人間の目で語られる健康と医療の重要性である。それは、HIV／エイズという一九八〇年代当時治療法が確立していなかった新型感染症との邂逅において、死が日常化するマラウイで人々が紡ぎ出す自らの尊厳と癒しを形づくる意味世界であり、病院の門前で中に入ることを拒否される病気の子どもたちや、HIV感染対策からこぼれ落ちる人々、低い待遇で生活に困窮するワーキング・プアーとしての医療者の姿を通じて描かれている。

この問題は、単に西洋医学と伝統社会を対極にあるものと捉え、前者の不完全性を批判し社会固有の文化を礼賛する、という単純化された世界観に基づく牧歌的な神話についての話ではない。私たちが生きる社会では、様々な価値と歴史と技術が複雑に交錯し、矛盾したリアリティーを展開している。多くのアフリカ諸国では、伝統医療の一部が科学的な分析に基づいて公式かつ正規の治療法として認定され、英国が誇る国民保健サービス（全国民に安価に保健医療サービスを保障する公的医療制度）を担う医療者の約七人に一人が、スーダンやナイジェリアを含む外国人労働者である［Baker 2020］、そんな時代に私たちは生きている。むしろ、多様なアフリカ諸国における観察や聞き取りから浮かび上がった、不治の病を目の前にした人間の態度、公的医療から除外される貧困者や政策上の「例外者」、疲弊する医療現場、などの各テーマは、日本をはじめとする世界の国が共有する問題である。

その中で特に重要と思われるのは、病者を癒すのは病院で処方される薬や医師の助言のみならず、病者を支える家族や隣人、不治の病に苦しむ自らを肯定し受け止める信仰などの社会的側面と人の繋がりである、という点である。この主張は、健康の社会的決定要因として社会環境を重視する現代のグローバルヘルス政策の潮流にも合致している［マーモット　二〇一七］。

かつての医療政策は、いかに質の高い保健医療サービスを届けるか、という点に重点を置いていた。しかし一九八〇年代以降、社会的な格差が疾患の大部分を生み出すことが明らかになってからは、人々の健康を守るためには医療の充実のみならず、幼少時の生育環境から成人後の労働環境に至るまでの社会環境の整備と健康格差の縮小が必須であることが世界的に認識されつつある［ウルフ　二〇一六：一七三－一九六］。本書の複数の論考で議論されたように、医学を専門としない社会的弱者の視点から健康や医療を見つめ直すことは、社会政策を改善するとともに、価値観、所得、年齢、性別、人種、家族の有無などの違いを超えて、全ての人が尊重され健康に生きられる社会を実現する上でも重要である。

今回の議論が示したもう一つの重要な点は、「健康と医療」というセクターが直面する危機的状況である。二〇〇〇年代以降、ＨＩＶ／エイズや新型コロナウイルスなどの新型感染症が繰り返し発生するに至った背景には、地球上の環境破壊による動物と人間の住居の近接化、都市化による人口の密集、国境を越えた移動の加速化があると指摘されている。気候変動と同様に地球的規模で人類を揺るがす大きな変化が起きる中、新古典経済主義に基づき各国の政府が健康・医療セクターに充てる予算は年々削られ、公的医療を担う医師や看護師の労働環境が悪化するとともに、患者への負担の増加と貧困層の受診控えが深刻となっている。公的医療は儲かる産業ではない。しかし、健康は人間が学び働き、幸せに生活する上で欠かせない資源である。新型コロナウイルス対策に関する政策談義の中で繰り返し聞かれた「医療か経済か」といった二者択一の議論は、その意味で破綻している。その意味で、タンザニアの医療者が語った厳しい医療現場の実情は、今日の日本にも通じている。

本書のもととなった公開シンポジウム「アフリカにおける健康と社会――人間らしい医療を求めて」の企画書を書いた私の当初の意図は、二〇一九年に横浜で開催予定であった第7回アフリカ開発会議（ＴＩＣＡＤ7）に向け、関西圏で全ての人が経済的困難に陥ることなく必要な保健医療サービスを利用できるようにすることの意義について考え議論する場を設けたい、というものだった。最終的に、学術的なシンポジウムとして成功させる、という目的から、私が当時所属していた独立行政法人　国際協力機構（ＪＩＣＡ）と包括連携協定を結ぶ神戸大学に主催を依頼し、ＪＩＣＡは共催という立場を取りつつも、予算・人材・会場を確保し、企画・運営のほぼ全てを担う、という体制で臨んだ（本書の刊行には、一九H〇四二五四科研費の協力を得ている）。シンポジウムの成功、並びに本書の実現は、神戸大学ご関係者のご尽力に加え、当時のＪＩＣＡ関西国際センター（ＪＩＣＡ関西）の関係者による協力と努力に負うところが大きく、特に当時のセンター所長、大西靖典氏をはじめ、田和正裕氏、加藤健氏に多大な支援を頂いた。また、市民参加協力課の御関係者からは、シンポジウムの実現に至る全ての過程で支援を頂いたほか、特に中山田恵氏に、ポスターのデザイン・制作、および広報を含むシンポジウムの事務局運営で全面的なサポートを頂いた。このシンポジウムの成功は、これらの方々の支援がなければ実現できなかったものであり、ここに深く感謝申し上げたい。

シンポジウムの開催と書籍化の企画に関し、多大なご協力を頂いた神戸大学国際文化学研究科、国際文化学研究推進センター（二〇二一年四月より国際文化学研究推進インスティチュートに改組）、また、シンポジウムにご協力下さった各大学の研究者の皆様、シンポジウムに足を運び、真摯に議論にご参加頂いた市民の皆さまにも心より感謝を申し上げる。この取り組みが、多様なアフリカへの理解と、国境を超えて医療現場が抱える政策的課題への関心につながれば幸いである。

二〇二〇年一二月末日
井田　暁子

参考文献

Baker, Carl
2020　NHS staff from overseas. Statistics. UK Parliament.
https://commonslibrary.parliament.uk/research-briefings/cbp-7783/ ［二〇二〇年一二月三一日閲覧］
マイケル・マーモット
二〇一七「健康格差　不平等な世界への挑戦」栗林寛幸監訳、日本評論社。
ジョナサン・ウルフ
二〇一六「『正しい政策』がないならどうすべきか」大澤津・原田健二郎訳、勁草書房。

●付録

〈付録1〉

開会挨拶

公開シンポジウム「アフリカにおける健康と社会——人間らしい医療を求めて」

桜井　徹

この公開シンポジウム「アフリカにおける健康と社会」は編者の一人である井田暁子さんによって企画され、梅屋さんや本学本研究科の研究推進センターが関わることで、共同作業の中から実現したものである。このような貴重な機会を作ってくださったお二人のご尽力に、ここであらためて厚く感謝申し上げたい。梅屋さんと私は神戸大学の国際文化学研究科に所属しているが、この研究科は、多様な専門分野にまたがる研究者たちが学問の境界線を越えていろいろな共同研究を行ったり、これまで注目されてこなかった先端的な研究プロジェクトに積極的に取り組んでいる点に、大きな特色がある。

例えば私の専門は法哲学で、シンポジウムで司会を務めている梅屋さんは、文化人類学を専門としている。ほかにも、社会学、政治学、国際関係論などさまざまな分野を専攻する研究者が協働して研究プロジェクトを構想し、遂行している。私が専門とする法哲学という学問は、現実の社会が依拠している法体系がもつ基礎的な特徴や問題点を理論的に追究することを主たる眼目とするといえるが、現在、私は、一国の法体系の内部で生じている問題よりは、むしろ、特徴を異にする複数の法体系のはざまで顕在化している深刻な課題、すなわち、国家の主権をもつとされる「国民」とは果たして誰か、国境線とはいかなる道徳的意義を持つのか、国籍とはいったい何だろうか、というような問題に軸足を移して研究を進めているところである。

周知のように、とりわけ二一世紀に入ってから、多くの移民が中東やアフリカ等の第三世界から先進国へ移動するだけでなく、先進国の間や第三世界の内部でも、大規模な「人の移動」が生じている。このように「移動」する人々の中には、より豊かな経済的生活を求めて国境を越える経済移民といわれる人々だけではなく、内戦、貧困、暴力等を逃れるためにやむなく故国を離れ新天地を求める人々も含まれている。ここでは、現代社会の顕著な一特徴である「人の移動」をめぐって、国際文化学研究科で遂行中の国際研究プロジェクトを二件ご紹介したい。

ひとつは、国際関係論を専門とする坂井一成さんや社会学の青山薫さんが中心になって遂行している移民研究プロジェクトである。この研究プロジェクトは、「日欧亜におけるコミュニティの再生を目指す移住・多文化・福祉政策の研究拠点形成」と銘打ち、神戸大学のほか、ドイツ、ベルギー、イタリア、フランス、ベトナム、タイ、台湾、韓国の八カ国から、移住・多文化化・福祉政策の研究者を結集し、国際共同研究のネットワークを形成することを目標に掲げている。二〇一六年の四月にこのプロジェクトは研究拠点形成事業に採択され、現在も研究者の輪をグローバルに広げながら共同研究を遂行している。プロジェクトの目的を、以下に簡単にご紹介したい。

……ヨーロッパへの周辺地域からの移民・難民の最近の急激な増加を見るまでもなく、《移住の活発化》、《多文化化》、《福祉国家の揺らぎ》という先進諸国が直面する三つの社会的変動は、少子高齢化という人口動態と相まって、日本やEUに社会の持続可能性に関わる深刻な懸念を惹き起こしている。日本は、先進社会特有のこれらの課題をEUと共有するだけでなく、アジア・太平洋圏とは移住労働の受入れを含む密接な政治的・経済的関係を結んでいる。他方、アジア諸国それ自体も、大規模な移住労働によって社会的変容を遂げつつある。

今や、日本、EU及びアジアの研究者は、進行するグローバル化のもと、伝統的コミュニティを超えて、安定した新たな生活圏を構築するのに必要な政策を発信するため、多彩な切り口から、斬新かつ建設的な知見を追究かつ共有する責務を負っている。

本プロジェクトは、人文科学と社会科学の交錯領域に位置するこの未開拓の課題に、理論と実証の両面から取り組む国際的研究体制を構築するため、明治以来まさに多文化が交差してきた神戸の地に、EUとアジアをつなぐ研究拠点を形成しようとするものである。


現在進行中の大規模な「移住」と「多文化化」、そしてそれらへの対応を迫られる「福祉政策」という三つのキーワードが、排除、暴力、貧困といった深刻な課題を内包しつつ、一つの三角形を形作っている。この研究プロジェクトは、ヨーロッパ、北アメリカをはじめとして世界各地で生じているこのような諸問題に対して、ヨーロッパやアジアの主要大学と連携して国際研究拠点を形成し、分断された地域コミュニティの修復に向かう出口を探究しようとしている。

そのために、現在、私たちは、日本、ヨーロッパ、アジアをはじめ世界各地にフィールド調査に出かけて、送出社会、受入社会の双方において実証的研究を進めているほか、毎年、日本やヨーロッパで成果発表や意見交換のための国際研究集会を開催している。

もう一つ、このシンポジウムと関心と方向を大いに共有する研究プロジェクトとして、私や梅屋さんが中心となって立ち上げた、通称「グローバル・ウェルフェア・プロジェクト」をご紹介したい。このプロジェクトは、正式名称を「グローバル・ウェルフェアの実現と課題をめぐる文理協働型研究」といい、地球規模での福利（global welfare）の改善をめぐる諸課題を検討するための文理協働型の研究体制の構築を目指しており、二〇一九年四月には

科学研究費補助金 基盤研究（B）に採択された。神戸大学は国立大学のなかでは規模が比較的小さい総合大学ではあるものの、文理にわたるほとんどすべての領域の学部が揃っているので、大学の人員的・財政的規模を補うため文理協働型の共同研究を進めようという機運が上がっている。国際文化学研究科もそれに呼応する形でこのような研究プロジェクトを構想して、学内外や国内外を問わず、こういう問題関心を共有できる研究者、実務家の方と一緒に研究を進めるための協議を進めている。以下に、研究目的の一部を紹介させていただく。

……本研究は、今日、貧富の格差の拡大、民族・宗教間の対立、紛争・内戦の長期化などのグローバル化の「負の側面」に最も集約的に直面すると同時に、大規模な移民・難民の起源地でもあるアフリカ、中東、アジア地域に着目して、これらの地域に住む人々の生活条件の向上をめざして地球規模で展開する思想・実践の諸潮流を「グローバル・ウェルフェア」としてとらえ直す。そのうえで本研究は、第一に、大規模な移民の動態の〝入口〟であるこれらの地域とその住民に現在何が起こっており、何が彼らを〝移動〟へと駆り立てるのかという問題に、文理双方にわたる領域横断的なアプローチから実証的かつ理論的に現状分析のメスを入れる。そして第二に、この分析結果を踏まえ、このような移民・難民の起源地から移民・難民を流出させる圧力をコントロールするために、いかなる実効的方策・制度を構想・展開することが可能なのかを探究する。

このプロジェクトは、移住、労働、保健、教育を四つのキーワードに挙げている。最初のキーワードの「移住」は、とりわけこの一〇年間にヨーロッパを舞台に爆発的に増加した現象であり、国際文化学研究科が今、研究拠点形成事業で焦点化して研究しているテーマだが、グローバル・ウェルフェア・プロジェクトでは、その現象の背後にあってそれを〝後押し〟する要因を追究しようとしている。その要因として、さしあたり次の三つを候補に挙げられるであろう。

第一に、「労働」。すなわち、開発途上地域に、安定した雇用というものを創出、維持することが果たしてできているのか、という問題である。第二に「保健」。つまり、そういう地域に、例えば公衆衛生の供給によって人々が健康かつ持続的に暮らせる地域社会が構築されているのかどうか。そして第三に「教育」。そのような地域社会における次世代の育成において、私たち先進国がいかなる支援を行うことができるのか。

現時点において、このような四つの要素が相互に機能不全を起こして、結果として大量の人口流出という形で悪循環を起こしている地域が存在しているのであれば、いかにしてこのサイクルをよりよい方向へ改善することができるのかというのが、この共同研究のテーマである。私たちは、「グローバル・ウェルフェア」を改善するとともにそれがはらむ諸課題を検討するという本プロジェクトの構想に共感してくださる国内外の研究者や実務家にお声がけをして、グローバルな規模でフィールド調査と共同研究を進めようとしている。

ここまでお話しすれば、私自身がこのシンポジウムやそれにもとづく本書、およびそこで展開される問題関心と提言にいかに期待しているかということもおわかりいただけると思う。シンポジウムで登壇し、本書に執筆した方がたは、さまざまな分野で喫緊の課題に取り組んでおられる。上でご紹介した四つのキーワードのなかでは、私はとりわけ〝保健〟そして〝公衆衛生〟というものが、グローバル・ウェルフェアの改善にあたって非常に大きなカギを握っていると認識している。その意味でも、私はこのシンポジウム、そしてさらにその影響が各所に及んでいくことをとても楽しみにしている。［筆者注　この挨拶文は、二〇一七年一二月一六日にＪＩＣＡ関西で行われたシンポジウム「アフリカにおける健康と社会」の開会挨拶に、本書への収録にあたって最小限の加筆修正を施したものである。］

主催　神戸大学　国際文化学研究推進センター
共催　独立行政法人　国際協力機構（JICA）

日時●**12月16日(土)**
13:30～

場所●**JICA関西**
ブリーフィングルーム
（参加費無料　定員60名）

アフリカにおける健康と社会

—人間らしい医療を求めて—

●司会
梅屋 潔
神戸大学　国際人間科学部　教授

●講演者
杉下 智彦
東京女子医科大学　医学部　教授

西 真如
京都大学大学院　アジア・アフリカ地域研究研究科　特定准教授

佐藤 美穂
長崎大学　熱帯医学・グローバルヘルス研究科　助教

井田 暁子
国際協力機構　アフリカ部　主任調査役
フランス国立科学研究センター　連携研究員

●コメンテーター
落合 雄彦
龍谷大学　法学部　教授

アフリカにおける医療の現場は、グローバル化する医療技術とそれぞれの社会が持つ価値観の接点となっています。また、西アフリカにおいてエボラ熱の広がりと制御の過程が示したように、アフリカ諸国の困窮する国家財政と保健医療制度の破綻とも相まって、人々の生死を大きく左右する結果を引き起こしています。

本シンポジウムではこうした現状を踏まえ、アフリカにおける公衆衛生と医療人類学に関する最新の研究成果を広く共有し、医療と社会科学、学者と市民の枠を超えて議論することを目的としています。

アフリカや健康・医療に御関心をお持ちの方は是非お越しください。

ご予約・お問い合わせ
神戸大学　国際文化学研究推進センター　gicls-promis@research.kobe-u.ac.jp

プログラム

13:30 - 13:40
主催者あいさつ　**梅屋 潔**（神戸大学　国際人間科学部　教授）

13:40 - 発表

13:40 - 14:10
講演 1　**杉下 智彦**（東京女子医科大学　医学部　教授）
アフリカの叡智から学ぶ：
老い、子供、障がい者にとって優しい社会デザイン

14:10 - 14:40
講演 2　**西 真如**（京都大学大学院　アジア・アフリカ地域研究研究科　特定准教授）
グローバル・ヘルス時代の不確かな人生―
アフリカにおける抗 HIV 治療の展開は人々の生活をどう変えたか

14:40 - 15:10
講演 3　**佐藤 美穂**（長崎大学　熱帯医学・グローバルヘルス研究科　助教）
タンザニア農村部末端医療施設で働く
ヘルスワーカーの視点からの動機づけ

15:10 - 15:40
講演 4　**井田 暁子**（国際協力機構　アフリカ部　主任調査役／フランス国立科学研究センター　連携研究員）
病院の門 ― 子どもが語る病院、ケア、貧困と排除：
セネガルの事例から

15:40 - 16:00　休憩

16:00 - 16:15
コメンテーター　**落合 雄彦**（龍谷大学　法学部　教授）

16:15 - 16:45　質疑応答・意見交換

16:45 - 17:00　まとめ・閉会式

（ご予約・お問い合わせ）
お申込ご希望の場合はメールにて氏名・所属・メールアドレスをお知らせください。

神戸大学　国際文化学研究推進センター
E-mail: gicls-promis@research.kobe-u.ac.jp
TEL & FAX: 078-803-7494
担当: 栢木（かやのき）

（会場ご案内）
独立行政法人　国際協力機構　関西国際センター（JICA 関西）
〒651-0073　神戸市中央区脇浜海岸通 1-5-2
TEL: 078-261-0341（代表）

JICA関西

ま

や

ら

わ

な

は

た

か

索　引

員（DC2）、四天王寺大学非常勤講師。

著書に『御所の献灯行事：御所市内ススキ提灯献灯行事調査報告書』（共著、御所市教育委員会、2019年）、*Citizenship in Motion: South African and Japanese Scholars in Conversation*（共著、Langaa RPCIG、2019年）、『百花繚乱：ひょうごの多文化共生150年のあゆみ』（共著、神戸新聞総合出版センター、2020年）、*Bouncing Back: Critical reflections on the Resilience Concept in Japan and South Africa*（共著、Langaa RPCIG、2022年）がある。

西 真如（にし　まこと）
京都大学大学院アジア・アフリカ地域研究研究科単位取得退学、博士（地域研究）。

広島大学人間社会科学研究科准教授。

主な論文に "Care during ART scale-up: surviving the HIV epidemic in Ethiopia"（BioSocieties, 2022）、「グローバル・ヘルスにおけるWHO事務局長の役割」（『法律時報』93巻1号、2021年）、「あの虹の向こう：：大阪市西成区の単身高齢者と世代・セクシャリティ・介護」（『ケアが生まれる場：他者とともに生きる社会のために』、ナカニシヤ出版、2019年）、主な著書に、『新型コロナウイルス感染症と人類学：パンデミックとともに考える』（共編著、水声社、2021年）。

ジーン・ロジャー・エドガー・バガンブラ（Jean Roger Edgard Bagamboula）
コンゴ共和国出身。博士（法学）。国際政治を専攻し、アフリカ各国の国際関係、アフリカにおける少数先住民の保護、伝統的薬剤知識、民族対立、貧困問題、環境問題などグローバル・イシューに関する国際的な解決方法を探る。上海・復旦大学卒業。近畿大学大学院博士課程修了。大阪大学および神戸大学非常勤講師。コンゴ語、リンガラ語、フランス語、国際コミュニケーション、アカデミック・コミュニケーションなどを教える。

デオグラティアス・マウフィ（Deogratias Maufi）
公衆衛生修士（オーストラリア、ニューサウスウェールズ大学）。タンザニア、モロゴロ州キロサ県、ムベヤ州ムベヤ市の保健事務官（Health Secretary）として勤務。その間、保健省を休職し、USAIDやJICAの保健プロジェクト（州保健行政システム強化プロジェクト　フェーズ2、2011年～2014年）にスタッフとして参画した経験を持つ。2016年からは大統領府地方自治庁地域行政担当上級健康サービス管理者（Senior Health Services Administrator）としてタンザニアの保健行政に携わった。2019年3月没。

宮本 佳和（みやもと　かな）
神戸大学大学院国際文化学研究科博士後期課程修了、博士（学術）。現在、日本学術振興会海外特別研究員（海外PD）。

主な論文に、"Traditional Authorities, Legal Power, and Land Disputes in North-West Namibia"（*Anthropology Southern Africa*, Vol.45, No.1, 2022）、"Taboos Related to the Ancestors of the Himba and Herero Pastoralists in Northwest Namibia: A Preliminary Report"（The Working Paper Series of JSPS Core-to-Core Program, No. 4, 2019）、「放牧地争いにおける伝統的権威：：ナミビアの土地改革と慣習法の明文化」（『文化人類学』、第83巻第3号、2018年）など。2021年度笹川科学研究奨励賞（日本科学協会）他を受賞。

著者紹介（50 音順）

井田 暁子（いだ　あきこ）

フランス国立社会科学高等研究院（EHESS）博士課程修了、博士（社会人類学）。専門分野は、人道・開発援助政策、保健システム、患者中心の医療、子ども学。WHO、UNHCR 等を経て、JICA 緒方貞子平和開発研究所研究員。

主な論文に、"Grandir à l'hôpital au Sénégal. Les vécus des douleurs chez les enfants cancéreux en milieu hospitalier"（*Revue des Sciences Sociales*, 2020 年）、「沈黙と言葉：西アフリカの小児科病棟におけるすれ違いとオープンダイアローグへの考察」（『N: ナラティヴとケア』2017 年）がある。

梅屋 潔（うめや　きよし）

神戸大学大学院国際文化学研究科教授。慶應義塾大学文学部卒、大学院社会学研究科修士課程修了。一橋大学大学院社会学研究科博士後期課程単位取得退学。博士（社会学）。日本学術振興会特別研究員（DC、PD）、国際協力事業団専門家、東北学院大学教養学部准教授などを経て現職。ケープタウン大学人文学部客員教授（2019-2020）、カメルーン・ランガア研究所名誉研究教授。

主な著書に『福音を説くウィッチ：ウガンダ・パドラにおける「災因論」の民族誌』風響社、2018 年、その英語版である *The Gospel Sounds like the Witch's Spell: Dealing with Misfortune among the Jopadhola of Eastern Uganda*. Bamenda: Langaa, 2022（JCAS 賞作品賞受賞）、共編に、I. Hazama, K. Umeya and Francis B. Nyamnjoh (eds.) *Citizenship in Motion: South African and Japanese Scholars in Conversation*. Bamenda: Langaa RPCIG, 2019. T. Enomoto, M. Swai, K. Umeya and Francis B. Nyamnjoh (eds.) *Bouncing Back: Critical Reflections on the Resilience Concept in Japan and South Africa*. Bamenda: Langaa RPCIG, 2022 など。

落合 雄彦（おちあい　たけひこ）

慶應義塾大学大学院法学研究科後期博士課程単位取得満期退学。龍谷大学法学部教授。

主な編著書に、『アフリカ潜在力のカレイドスコープ』（晃洋書房、2022 年）、『アフリカの女性とリプロダクション：国際社会の開発言説をたおやかに超えて』（晃洋書房、2016 年）、『アフリカ・ドラッグ考：交錯する生産・取引・乱用・文化・統制』（晃洋書房、2014 年）、『スピリチュアル・アフリカ：多様なる宗教的実践の世界』（晃洋書房、2009 年）など。

桜井 徹（さくらい　てつ）

一橋大学大学院法学研究科博士後期課程単位取得、博士（法学）。現在、神戸大学国際文化学研究科教授。

主な著書に、『リベラル優生主義と正義』（ナカニシヤ出版、2007 年）、（co-edited with USAMI Makoto）*Global Justice and Human Rights* (Archiv für Rechts- und Sozialphilosophie Beiheft 139). Stuttgart: Franz Steiner. 167pp. 2014,（co-edited with Mauro Zamboni）*Can Human Rights and Nationalism Coexist?* Milton: Taylor and Francis. forthcoming.

佐藤 美穂（さとう　みほ）

長崎大学熱帯医学・グローバルヘルス研究科・多文化社会学部助教。

人類学修士（ビンガムトン大学大学院人類学部）、公衆衛生修士（ワシントン大学 公衆衛生大学院グローバルヘルス学部）、医学博士（長崎大学医歯薬学総合研究科）。エチオピア、タンザニアなどにおいて、人類学的手法を用いながら保健システムや人々の健康希求行動に関する研究を実施する。また、教育、研究活動の傍ら、保健分野の開発援助プロジェクトに短期専門家として参画している。

杉下 智彦（すぎした　ともひこ）

東北大学医学部卒業、大学院（ハーバード大学、ロンドン大学、グレートレイク大学）卒業。修士（公衆衛生、人文科学）、博士（地域保健）。

屋久島尾之間診療所理事長、東京女子医科大学国際環境・熱帯医学講座客員教授、国際協力機構グローバルヘルスアドバイザー。保健システム専門家としてアフリカを中心に世界 20 か国で技術支援、政策立案に携わる。2015 年に策定された持続可能な開発目標（SDGs）国際委員をはじめ、国際機関、開発援助機関などの専門委員を務める。著書『すべては森から』（建築資料研究社、2020 年）、母と子の新型コロナ（世界書院、2021 年）、実践グローバルヘルス（杏林書院、2022 年）など。2014 年ソーシャルビジネスグランプリ大賞、2016 年医療功労賞受賞。

土取 俊輝（つちとり　としき）

北海道大学文学部人文科学科卒業、神戸大学大学院国際文化学研究科博士課程前期課程修了、修士（学術）。現在、神戸大学大学院国際文化学研究科博士課程後期課程在学、日本学術振興会特別研究

アフリカにおける健康と社会　人間らしい医療を求めて

2023年3月15日　印刷
2023年3月25日　発行

編　者　井田暁子
梅屋　潔

発行者　石井　雅
発行所　株式会社　風響社

東京都北区田端 4-14-9（〒 114-0014）
Tel 03(3828)9249　振替 00110-0-553554
印刷　モリモト印刷

ISBN978- 4-89489-311-5 C1039